첫걸음 한글

1단계

6세

한글 학습 어떻게 시작할까요?

한글 학습 방법은 두 가지가 있습니다.

첫째, 자모음자 결합 원리를 이용한 학습 방법입니다.

이 학습 방법은 자음자와 모음자의 모양과 소리를 각각 익힌 다음, 자모음자를 결합해 글자를 만들고 익히게 합니다.

이렇게 학습하면 글자가 낱말을 이룬다는 것을 이해하고, 결합 원리를 활용해 새 낱말을 만들 수 있다는 장점이 있습니다. 하지만 5~6세 아이는 글자 결합 과정을 이해하기 어렵기 때문에 한글 공부에 대한 아이의 흥미가 떨어진다는 단점이 있습니다.

둘째, 통 문자로 외우는 학습 방법입니다.

이 학습 방법은 글자와 낱말을 그림처럼 인식하게 하여 한글을 통째로 기억하며 익히게 합니다.

이렇게 학습하면 낱말을 그림처럼 쉽게 이해하고, 한글에 재미를 느껴 언어 능력이 빠르게 발달된다는 장점이 있습니다. 하지만 낱말을 보고 읽을 수는 있으나 낱말을 이루는 글자에 대한 이해도는 부족하다는 단점이 있습니다.

그렇다면 한글 학습을 처음하는 아이, 어떻게 공부시켜야 할까요?

자모음자 결합 학습 + 통 문자 학습

두 가지 학습 방법을 동시에!

대부분의 한글 학습 교재는 한 가지 한글 학습 방법에 따라 내용을 구성하고 있습니다. 이제는 통합적으로 한글 학습을 해야 합니다.

5~6세 아이가 쉽게 한글 공부를 시작하도록 '가', '거', '고'…… 받침이 없는 글자부터 차근차근 자모음자 결합 원리를 깨치고, 한글 연상 그림과 함께 통 문자를 반복하여 익히면 한글 학습의 효율성과 한글 학습의 재미, 두 마리 토끼를 한 번에 잡을 수 있습니다.

6세 초능력 첫걸음 한글로 시작하세요!

1 한글을 학습하는 두 가지 방법을 동시에 할 수 있어요!

한글 결합 원리를 익힐 수 있는 "자모음자 결합 원리 학습 방법"과 글자를 이미지로 받아들여 오랫동안 기억할 수 있는 "통 문자 학습 방법"을 통합하여 학습 효과를 높였습니다.

2 한글을 재미있고 빠르게 배울 수 있어요!

1단계는 자모음자부터 "가~사", 2단계는 "아~하"의 받침 없는 글자가 포함된 낱말을 차례로 공부하며 단 2권으로 한글을 쉽고 빠르게 떼도록 만들었습니다.

3 보고 들으며 생생하게 익히고 오랫동안 기억할 수 있어요!

한글 챈트 영상을 제공하여 기본 자모음자의 소리와 결합 원리를 생생하게 익힐 수 있게 하였습니다. 또한 챈트 영상 낱말을 담은 한글 브로마이드를 보며 한글을 오래 기억하게 하였습니다.

6세 초능력 첫걸음 한글 이렇게 공부하세요.

1 자음자와 모음자를 만나요 자음자와 모음자를 빠르게 익힙니다.

한번 보면 기억에 남는 연상 그림으로 자음자와 모음자를 익힐 수 있습니다.

학부모 지도 TIP

이미 자모음자를 알고 있더라도 다시 한번 꼼꼼히 읽고 써 보도록 해 주세요.

2 글자를 만나요 자음자와 모음자의 결합 원리를 통해 글자를 만드는 방법을 배웁니다.

챈트 영상으로 글자의 결합 원리를 쉽고 재미있게 이해할 수 있습니다.

학부모 지도 TIP

한글 챈트 영상을 보면서 글자의 짜임을 노래를 부르며 재미있게 익힐 수 있도록 해 주세요.

3 글자를 배우고 익혀요 다양하고 재미있는 활동을 통해 배운 글자와 낱말을 익힙니다.

6가지 활동 아이콘

다양한 방법으로 문제를 풀면서 낱말과 낱말의 쓰임에 대해 바르게 알 수 있습니다.

- 글자 쓰기
- 붙임딱지 붙이기
- ○표 하기
- 길 찾기
- 색칠하기
- 선 잇기

4 글자를 찾고 만들어요 배운 낱말과 자모음자의 결합 원리를 다시 한번 살펴보며 마무리합니다.

붙임딱지를 붙여 낱말을 완성하며 앞에서 배운 내용을 확인할 수 있습니다.

학부모 지도 TIP

자음자와 모음자를 결합하여 글자를 직접 만들고 따라 쓰는 과정을 통해 글자 형성 원리를 이해하며 마무리할 수 있게 해 주세요.

차례

자음자와 모음자 알아보기

ㄱ~ㅇ 자음자를 만나요

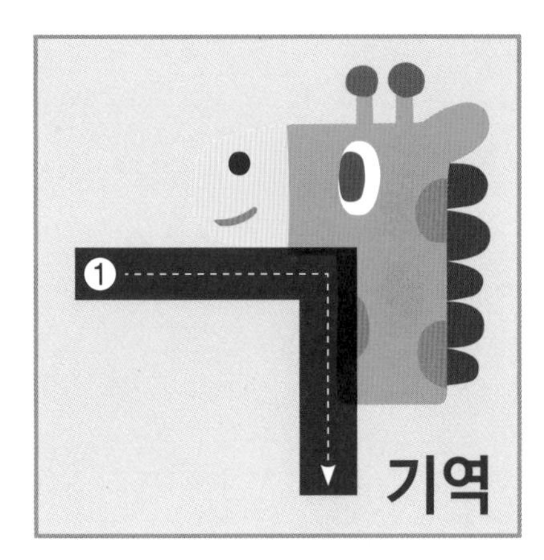

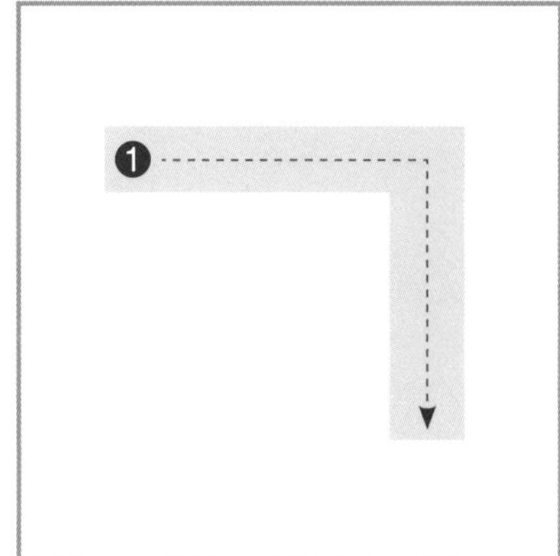

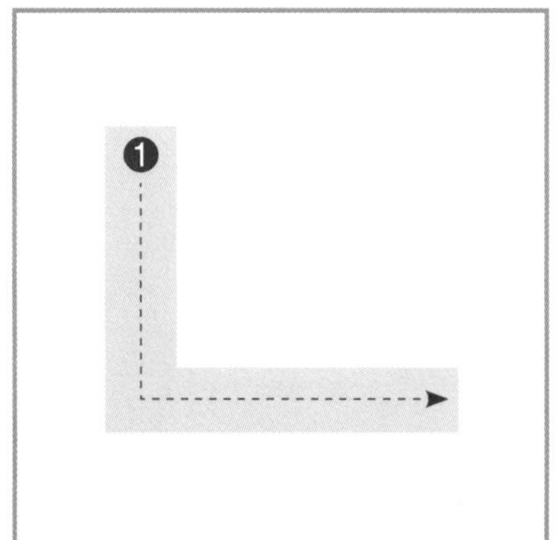

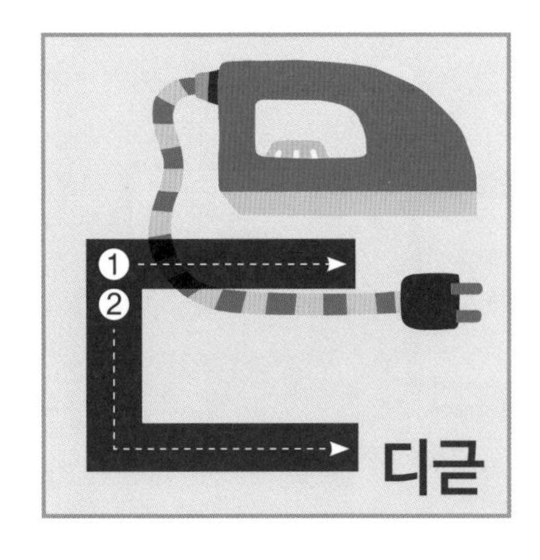

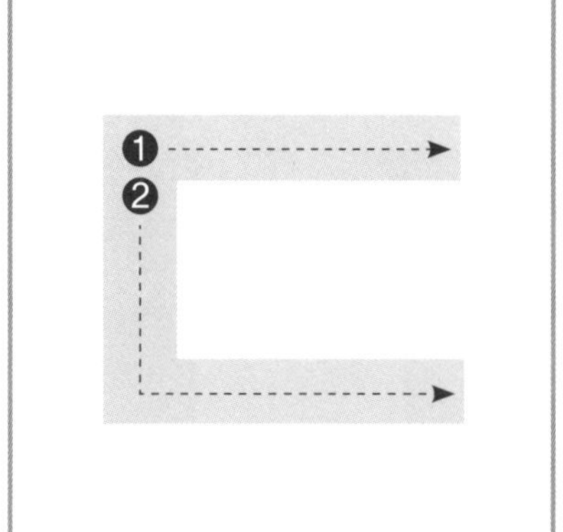

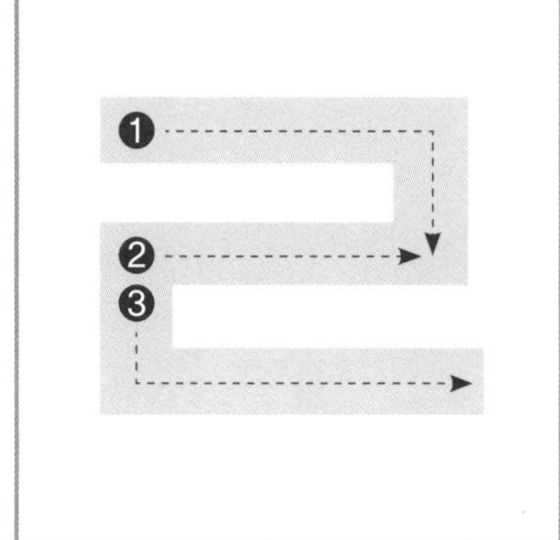

이렇게 지도하세요! 자녀와 함께 자음자 'ㄱ'~'ㅇ'의 모양과 이름을 살펴본 뒤, 자음자가 어떻게 소리 나는지 함께 읽어 보세요. 자녀가 자음자의 소리를 따라 말해 보도록 한 뒤, 순서에 맞게 자음자를 따라 쓰며 자음자를 익힐 수 있도록 지도해 주세요.

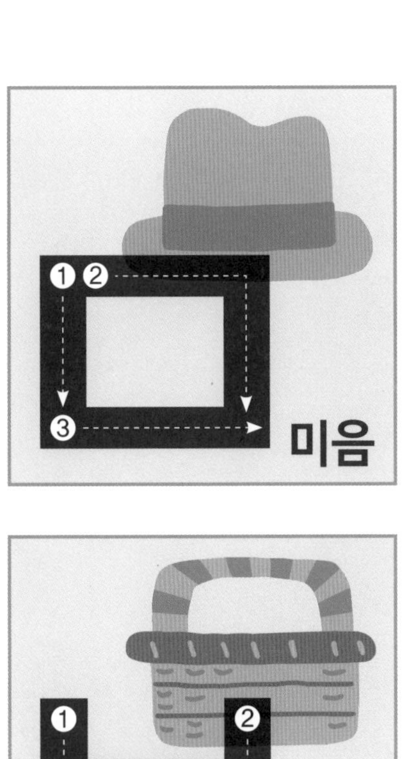

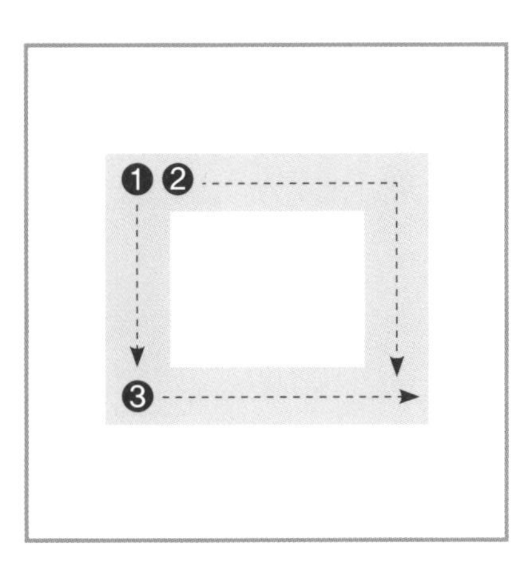

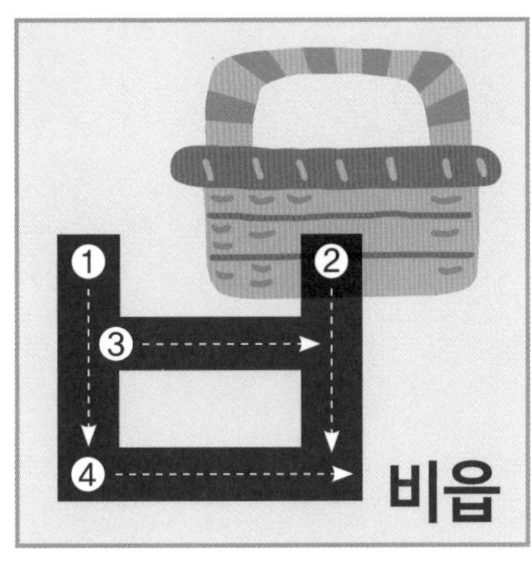

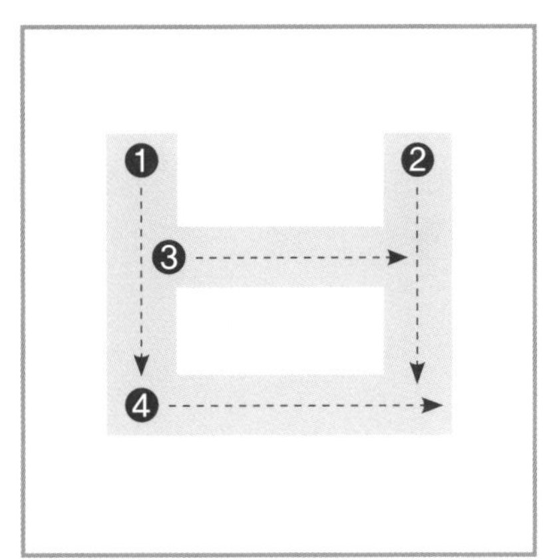

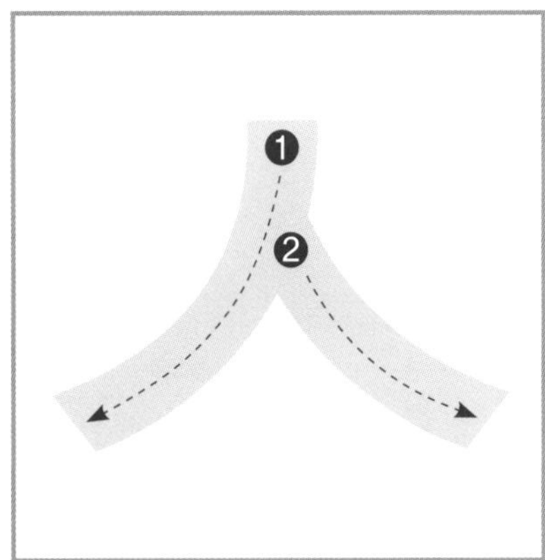

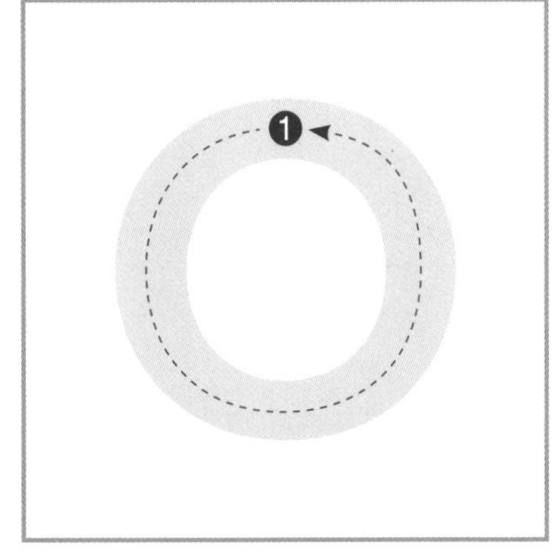

ㅈ~ㅎ 자음자를 만나요

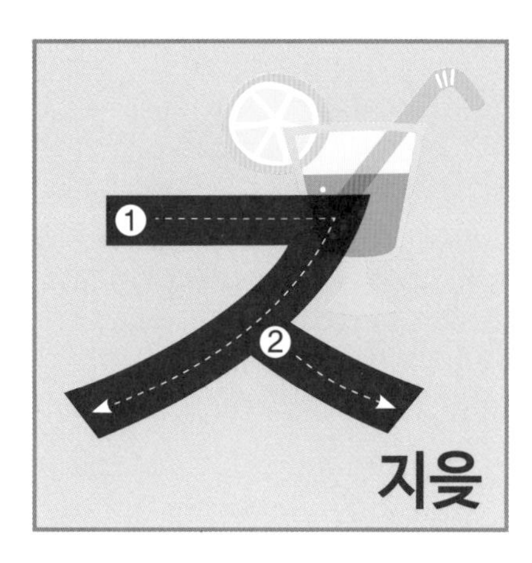

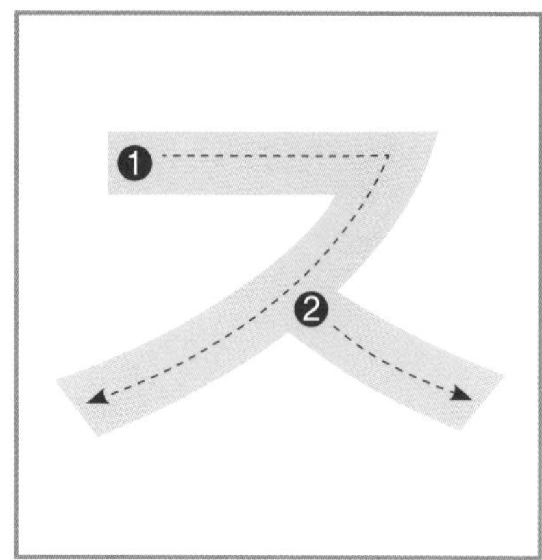

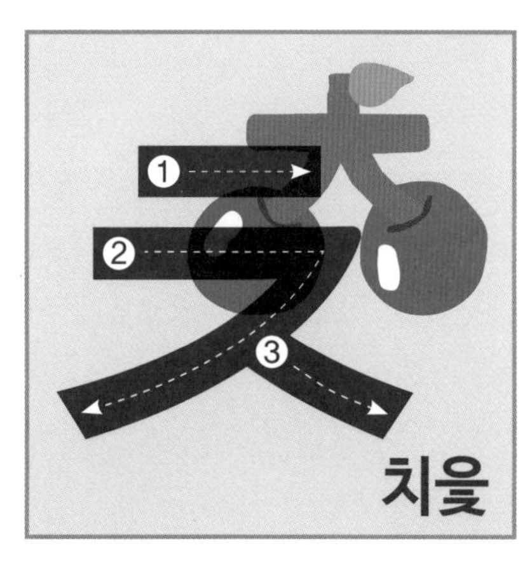

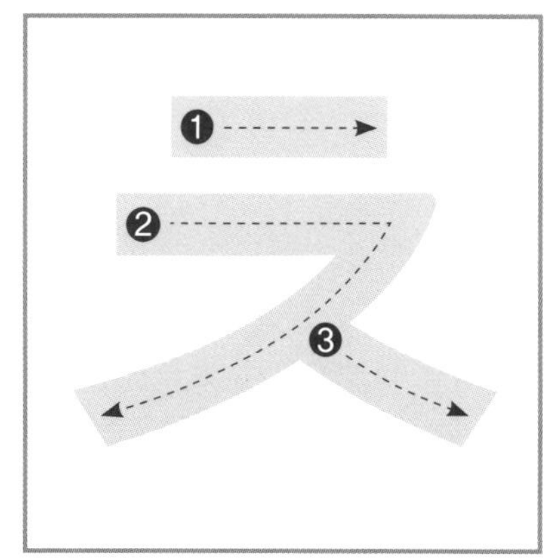

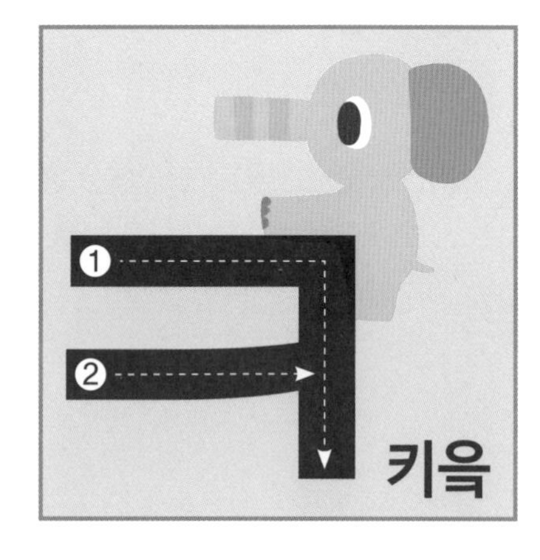

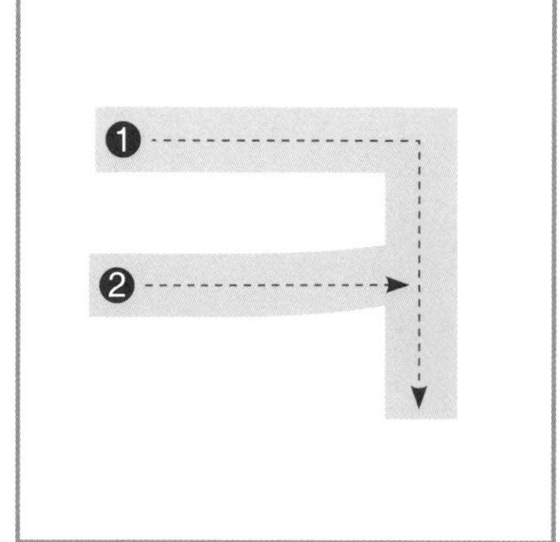

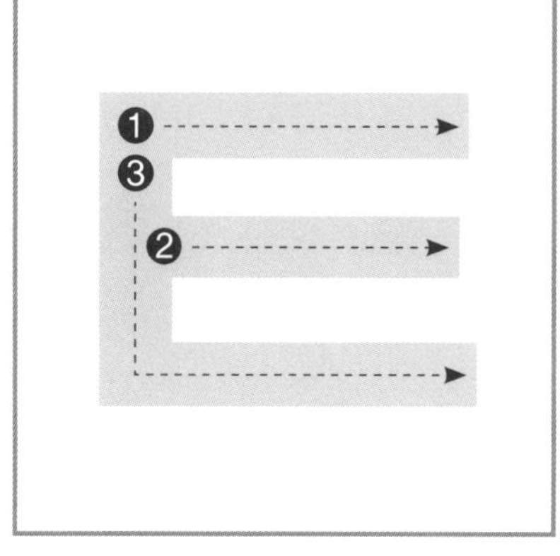

TIP 이렇게 지도하세요! 자음자 중에서도 'ㅌ'이나 'ㅍ'은 자녀가 쓰기 어려운 글자입니다. 자녀가 글자의 모양을 바르게 기억하고, 글자 쓰는 순서를 쉽게 익히도록 부모님께서 글자 쓰는 시범을 보여 주세요. 그리고 자녀가 자음자를 끝까지 다 익히면 소리 내어 읽으며 기차 그림에 쓰인 'ㄱ'부터 'ㅎ'을 완성하여 쓰게 해 주세요.

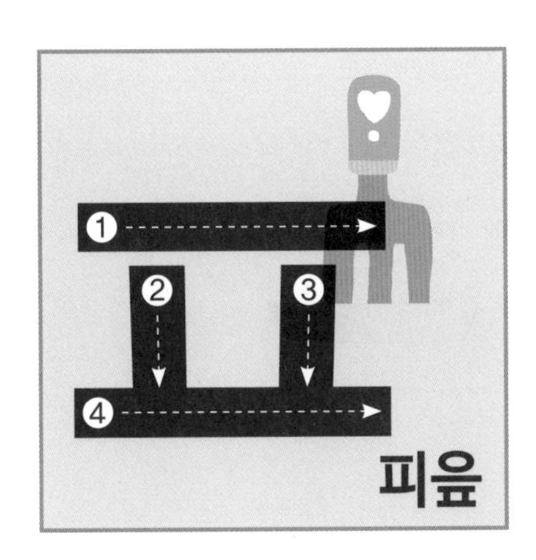

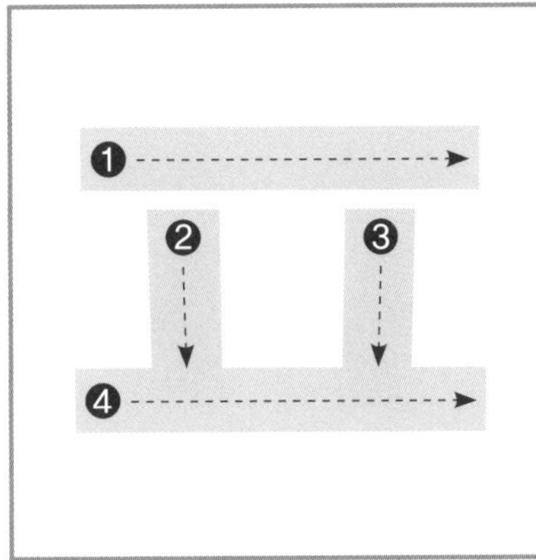

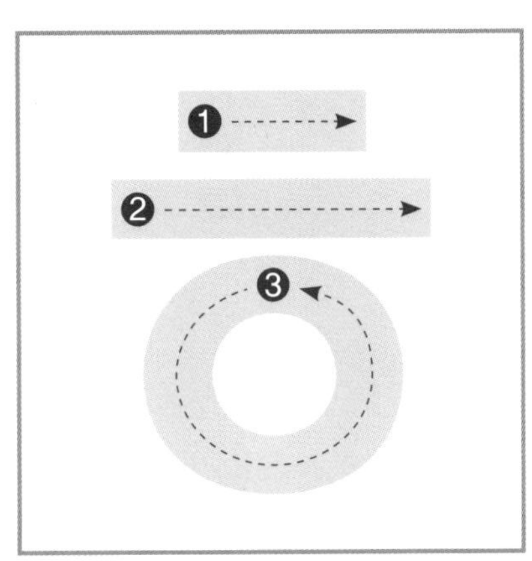

ㅏ~ㅠ 모음자를 만나요

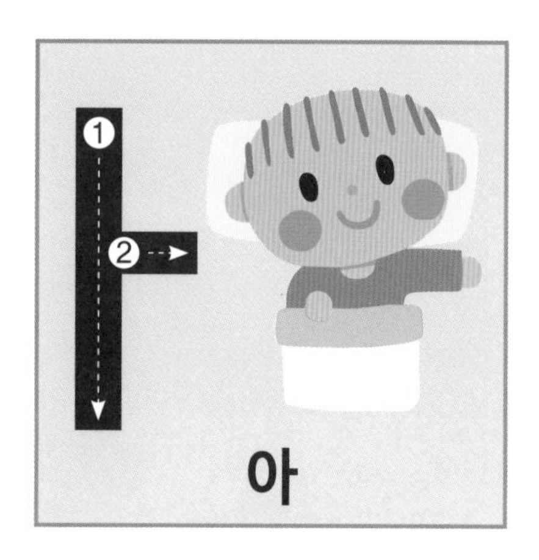

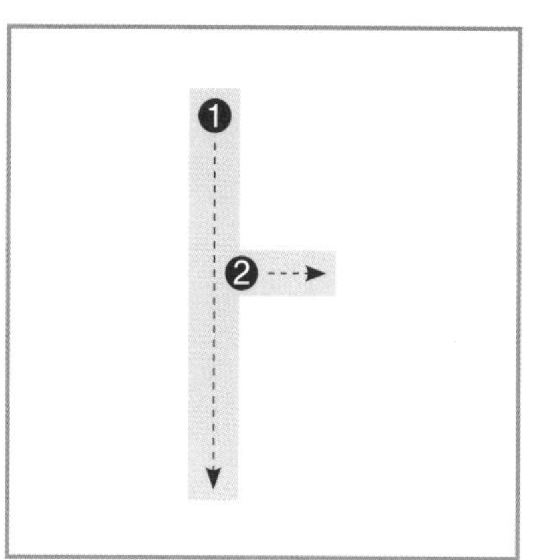

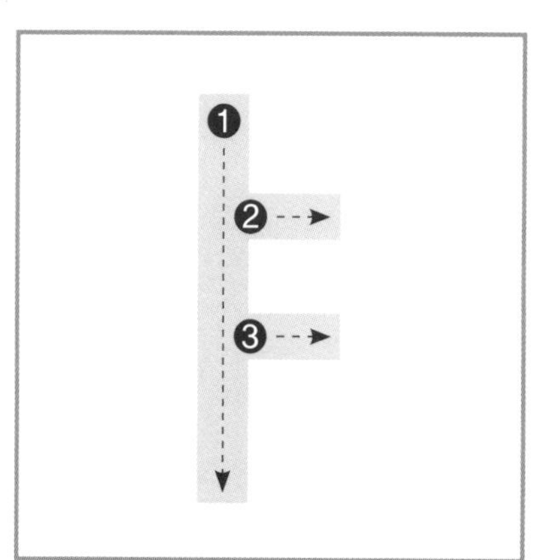

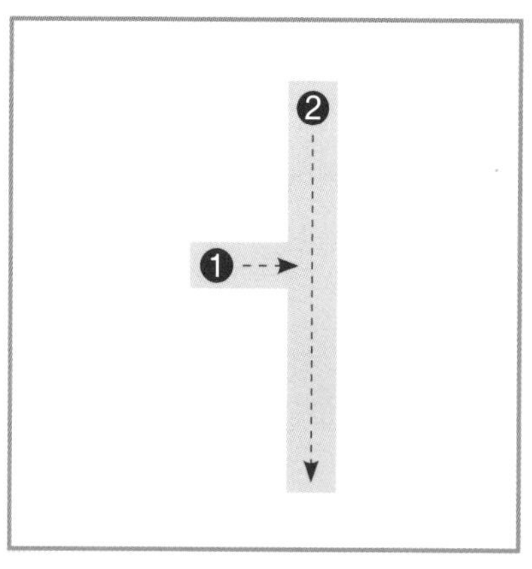

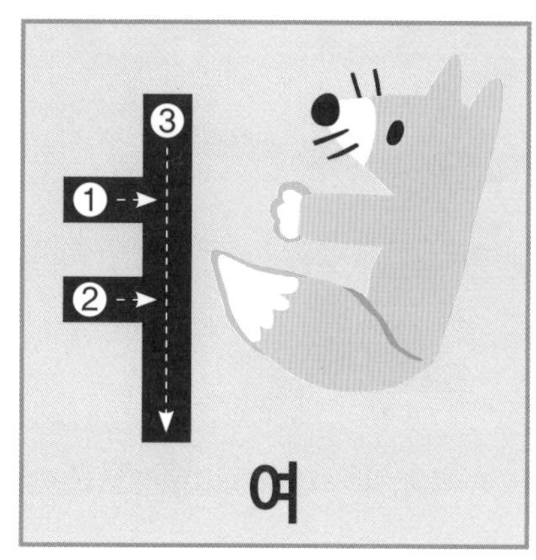

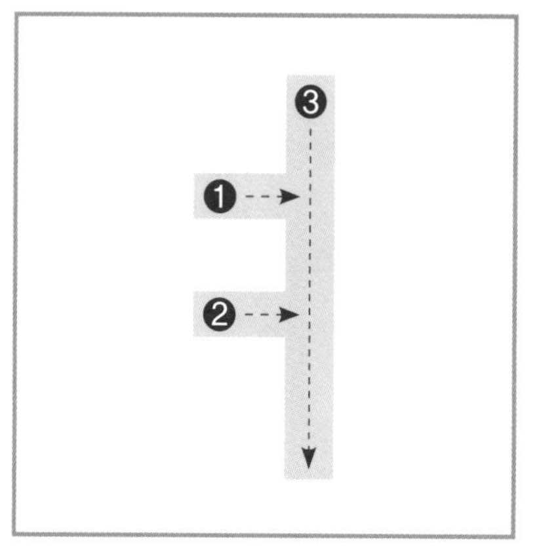

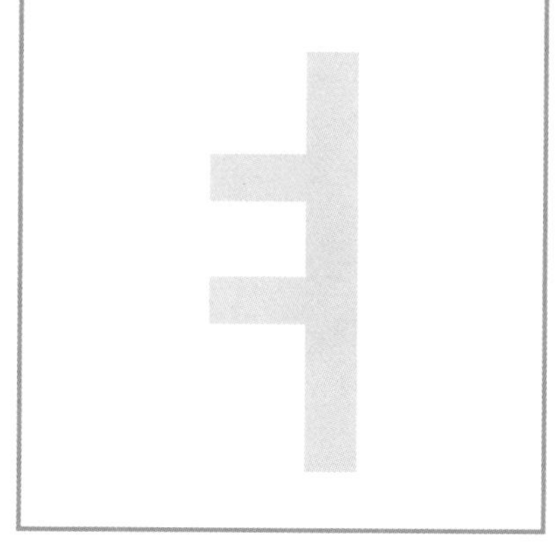

TIP 이렇게 지도하세요! 모음자 중에서 'ㅏ'와 'ㅑ', 'ㅓ'와 'ㅕ', 'ㅗ'와 'ㅛ' 등은 비슷한 모양을 하고 있어 자녀들이 헷갈리기 쉽습니다. 모음자를 연상할 수 있는 교재의 그림에 대해서 설명해 주시면 모음자를 쉽게 기억할 수 있습니다.

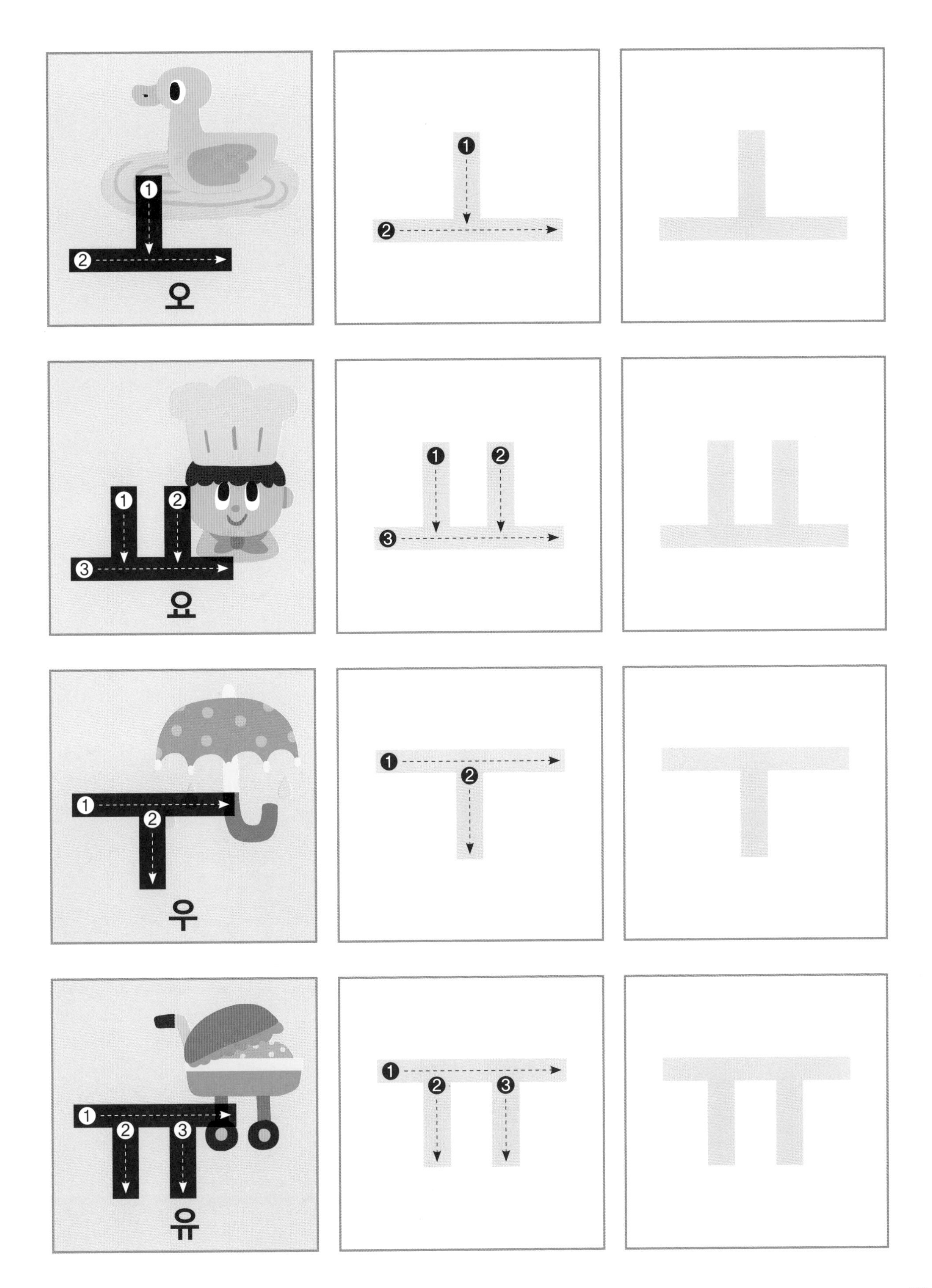

ㅡ~ㅣ 모음자를 만나요

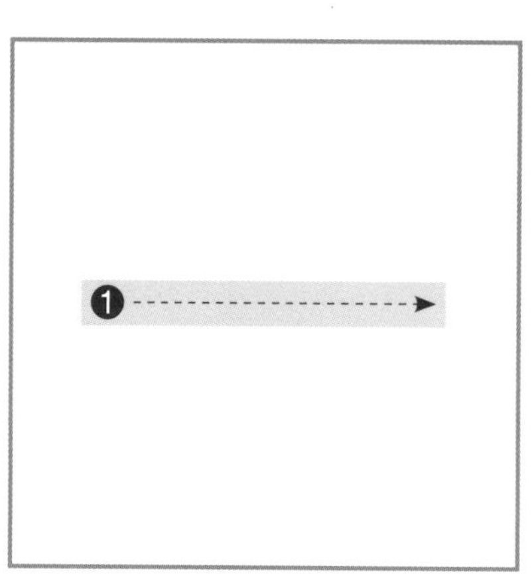

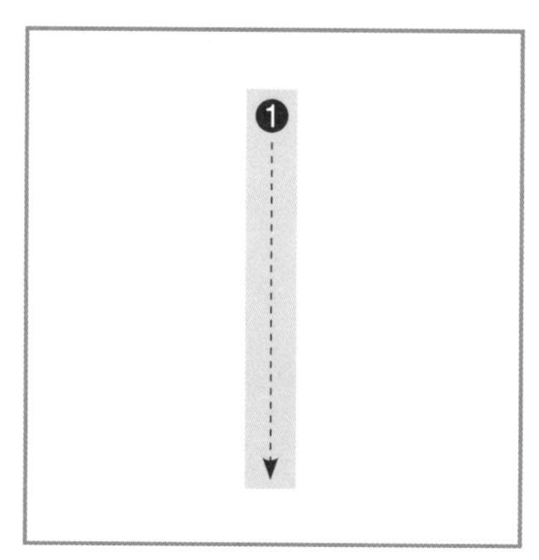

글자 알아보기 [가~사]

글자를 만나요

한글 챈트

ㄱ + ㅏ → 가

TIP 이렇게 지도하세요! 챈트 영상을 보며 자녀에게 자음자 'ㄱ'과 모음자 'ㅏ', 'ㅓ', 'ㅗ', 'ㅜ', 'ㅡ', 'ㅣ'가 각각 만나 글자가 이루어지는 과정을 알려 주세요. 또 모음자는 자음자의 오른쪽이나 아래쪽에 쓰는 것도 이해시켜 주세요.

ㄱ
ㅗ
고
고래

ㄱ
ㅜ
구
구두

ㄱ
ㅡ
그
그네

ㄱ ㅣ
기
기차

가 를 배워요

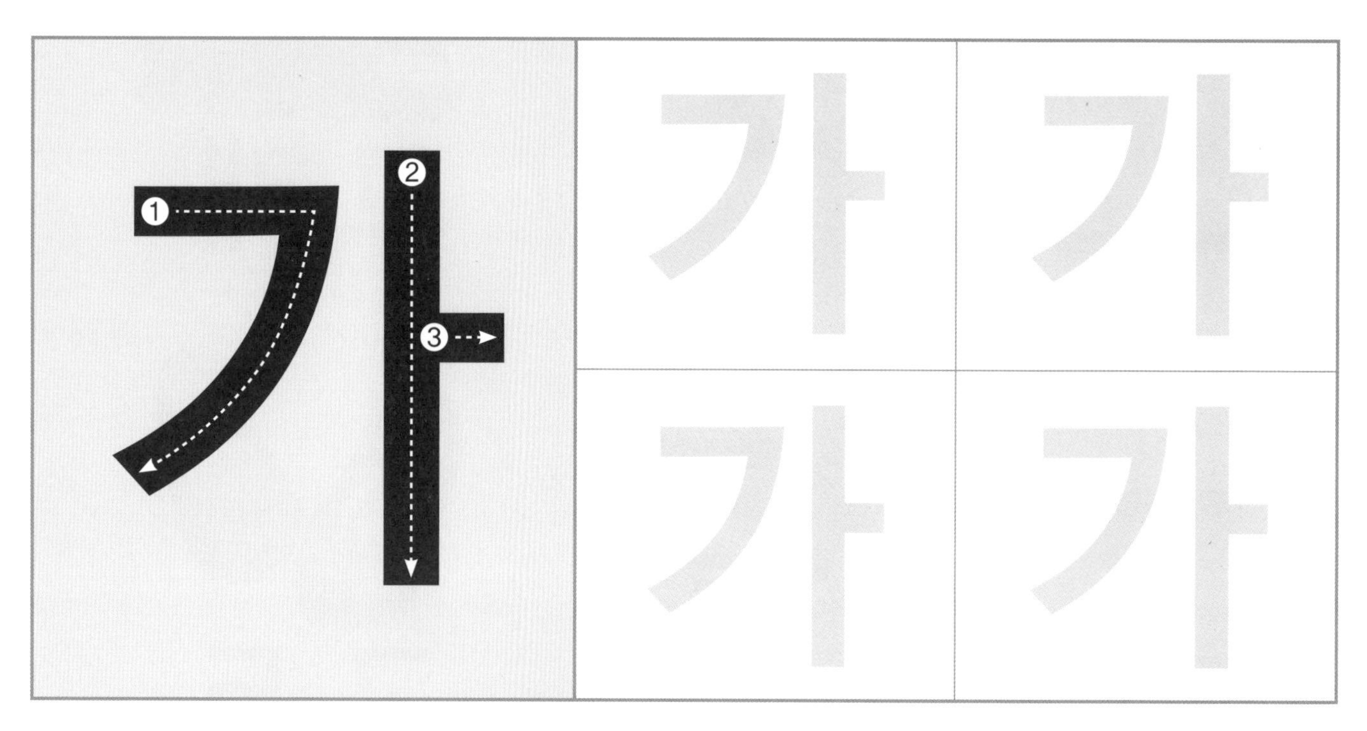

가 를 익혀요

TIP 이렇게 지도하세요! 붙임딱지에서 글자 '가'와 '가'가 들어간 낱말에 해당하는 그림을 찾아 알맞게 붙이도록 도와주세요. 자녀가 '가지', '가위', '가방' 낱말을 반복해서 말하고 쓰면서 '가'의 모양과 소리를 정확하게 익힐 수 있도록 지도해 주세요.

거를 배워요

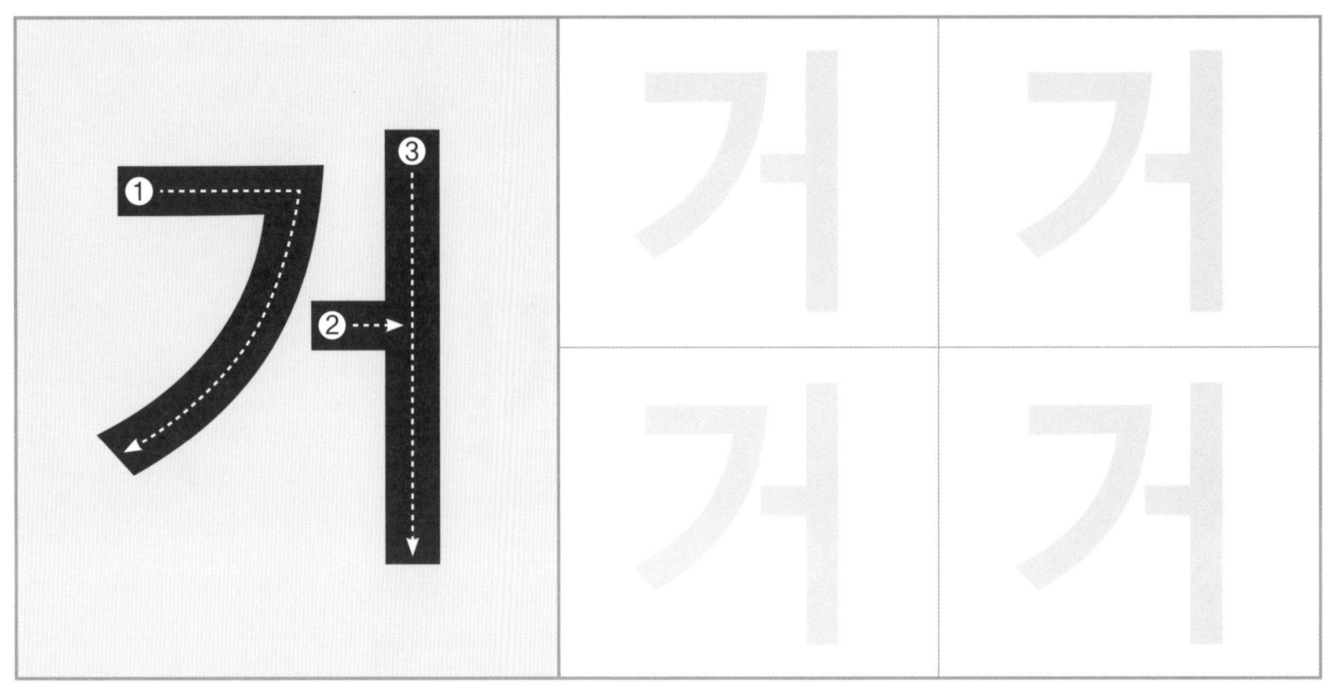

거 를 익혀요

이렇게 지도하세요! 자녀와 함께 그림과 낱말을 살펴보고, 글자 '거'가 들어간 낱말을 세 개 찾아 ○표 할 수 있도록 도와주세요. 자녀가 앞에서 공부한 '가'와 '거'를 헷갈리지 않게 주의시켜 주시고, '거'를 확실하게 익힐 수 있도록 지도해 주세요.

고 를 배워요

고 를 익혀요

TIP 이렇게 지도하세요! 먼저 자녀에게 빈칸에 글자를 써넣으면 가로와 세로로 모두 읽을 수 있는 낱말이 완성된다는 것을 알려 주세요. 그런 다음 자녀가 그림을 보며 글자 '고'를 바르게 따라 쓰고, '고'가 들어 있는 다양한 낱말을 정확하게 익힐 수 있도록 지도해 주세요.

구를 배워요

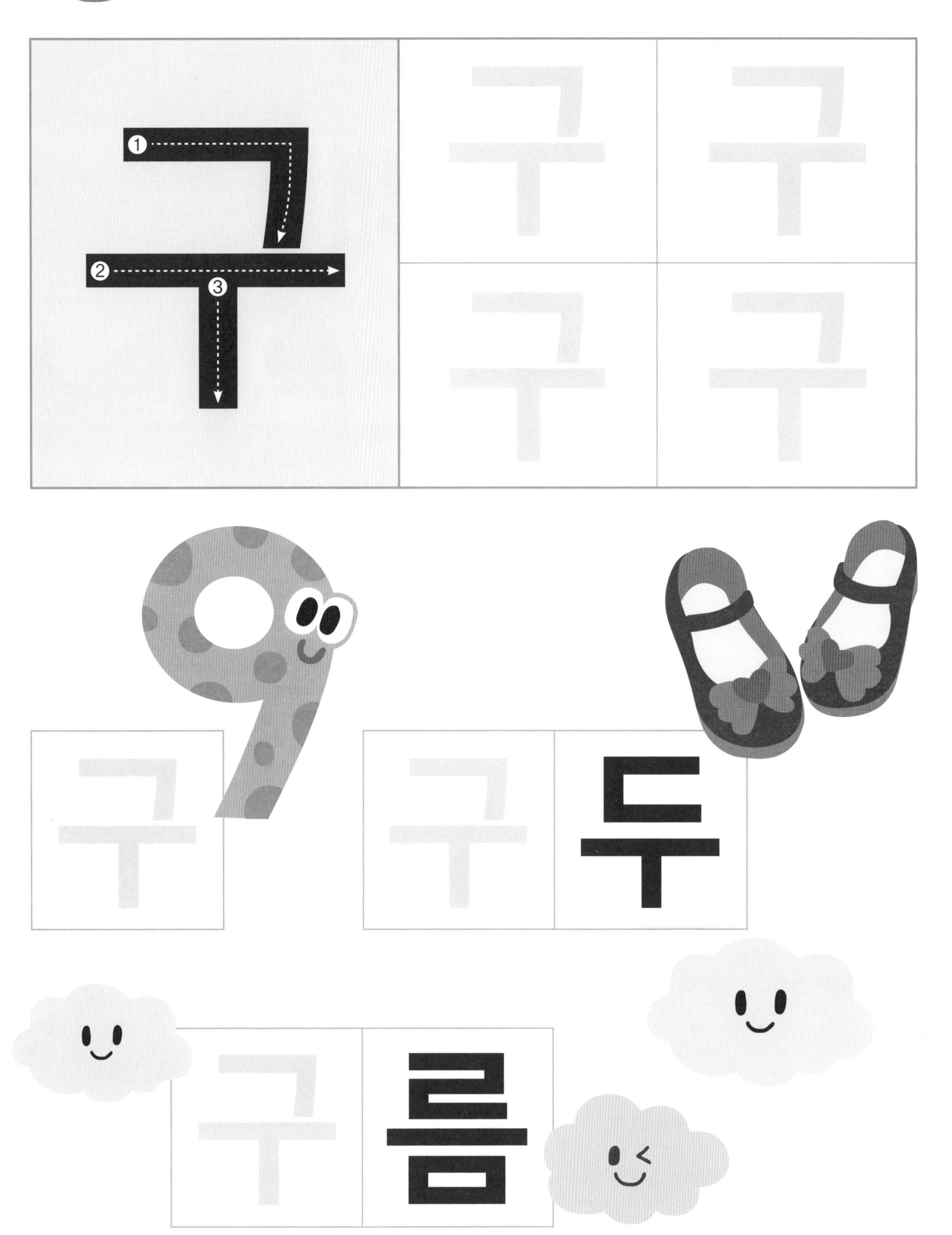

구 를 익혀요

'구'를 따라 길 찾기

출발

구두

구름

고래

구

도착

TIP 이렇게 지도하세요! 자녀가 네 개의 낱말을 차례대로 읽고 글자 '구'가 포함된 낱말을 따라 선을 그으며 길을 찾을 수 있도록 도와주세요. '구'가 포함된 낱말을 찾으며 '구'의 모양과 소리를 정확하게 익히고, '고'와 구별하여 기억할 수 있도록 지도해 주세요.

그를 배워요

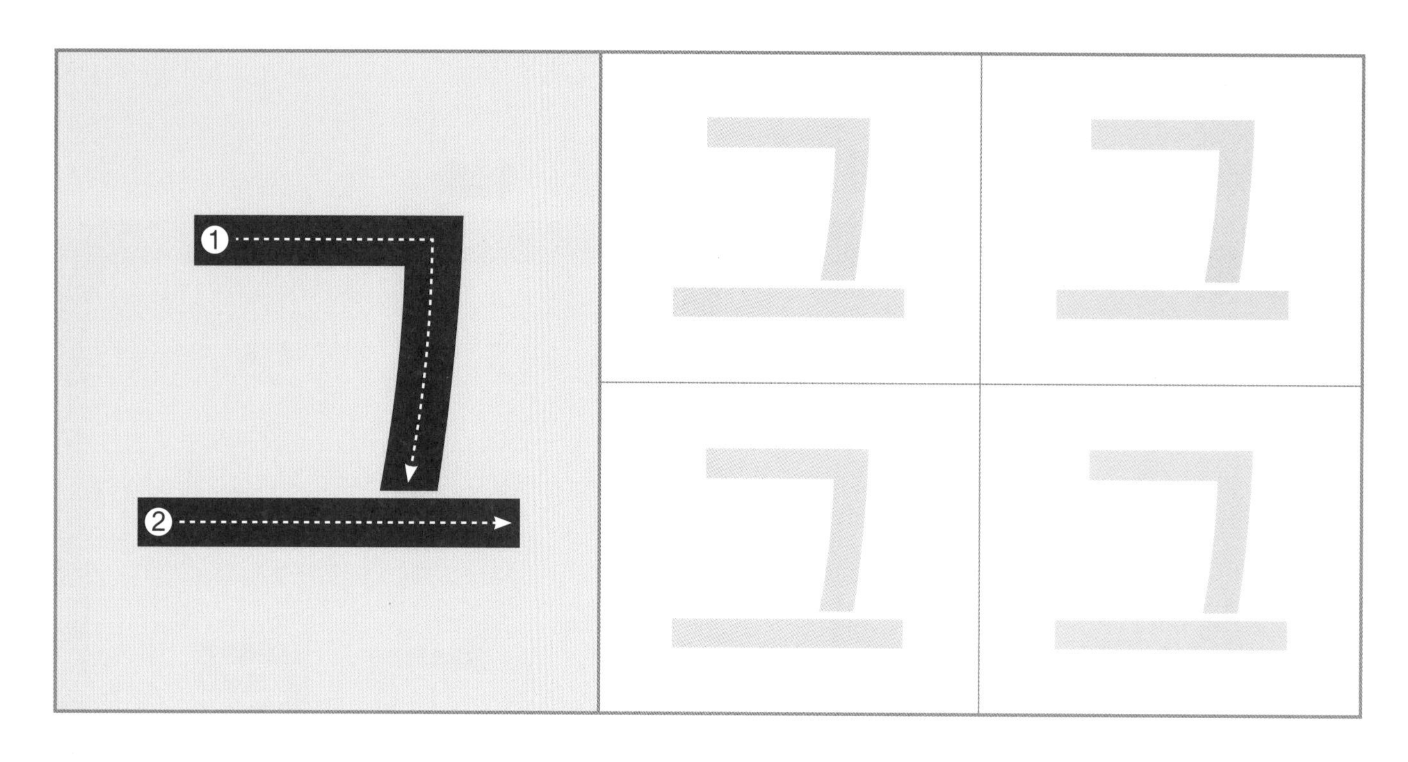

그를 익혀요

그구네

고그릇

핫도그가

TIP 이렇게 지도하세요! 자녀가 그림을 보며 글자 '그'를 찾아 색칠하고 난 뒤, 완성한 낱말을 소리 내어 읽을 수 있도록 도와주세요. '고'와 '그'는 위쪽에 'ㄱ'을 쓰고, 아래쪽에 모음자를 쓰기 때문에 자녀가 헷갈리기 쉽습니다. '그'의 모양을 정확하게 알고 기억할 수 있도록 지도해 주세요.

기를 배워요

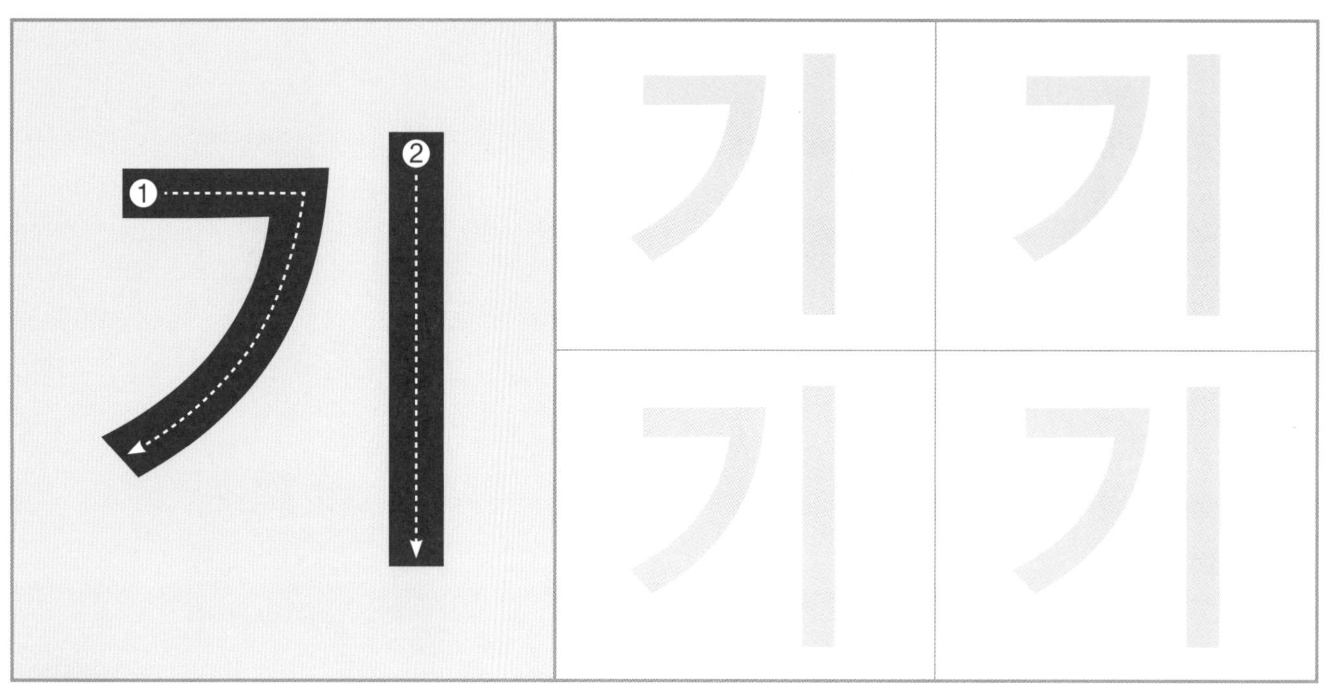

아 기

기 차

기 를 익혀요

거린

기차

고차

아구

아기

이렇게 지도하세요! 그림을 보며 낱말을 차례대로 읽고 글자 '기'가 알맞게 쓰인 것을 찾아 ○표 할 수 있도록 도와주세요. 이때 자녀가 'ㄱ'의 오른쪽에 모음자를 쓰는 '가', '거', '기'를 같은 글자라고 잘못 기억하기 쉽습니다. 자녀가 '기'의 모양과 소리를 정확하게 익히도록 지도해 주세요.

글자를 찾아요

글자를 만들어요

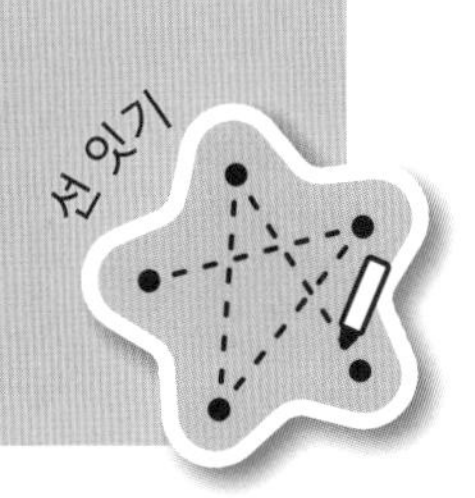

ㅏ ㅑ ㅓ ㅕ ㅣ

가 갸 거 겨 기

ㅗ ㅛ ㅜ ㅠ ㅡ

고 교 구 규 그

글자를 만나요

TIP 이렇게 지도하세요! 챈트 영상을 보며 자녀가 자음자 'ㄴ'의 소리를 알아보게 해 주세요. 그리고 'ㄴ'이 모음자와 만나면 어떤 글자가 되는지, 그 글자는 어떻게 소리 나는지 한 글자씩 따라 부르고 읽으며 재미있게 익히도록 해 주세요.

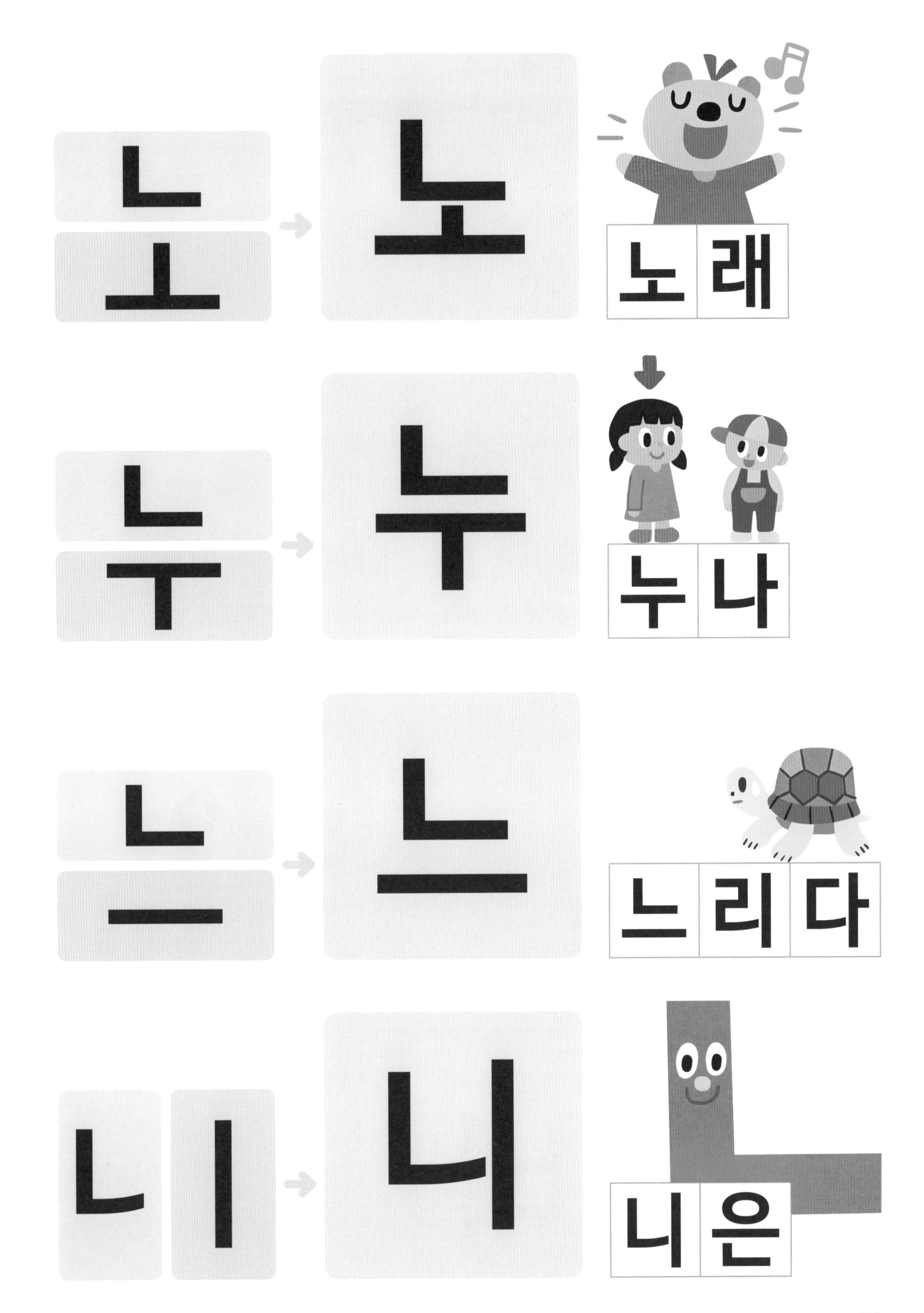
ㄴ
ㅗ
노
노래
ㄴ
ㅜ
누
누나
ㄴ
ㅡ
느
느리다
ㄴ
ㅣ
니
니은

나 를 배워요

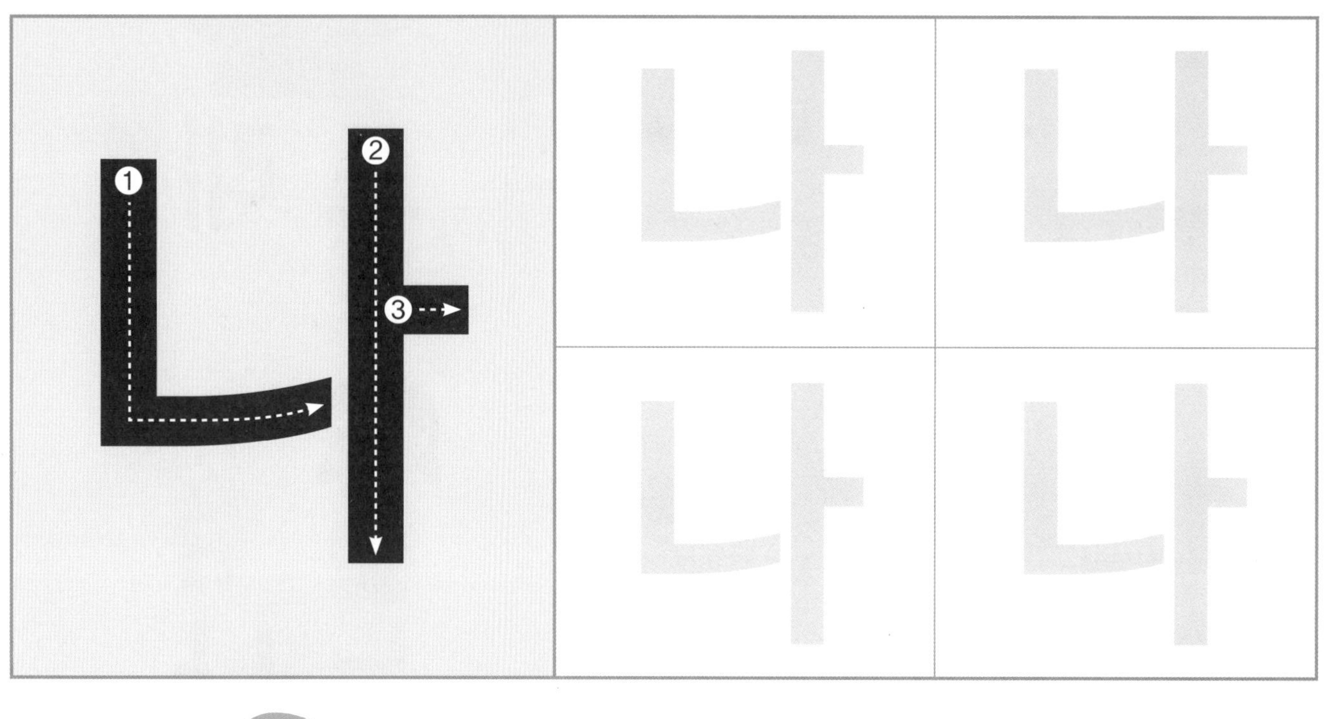

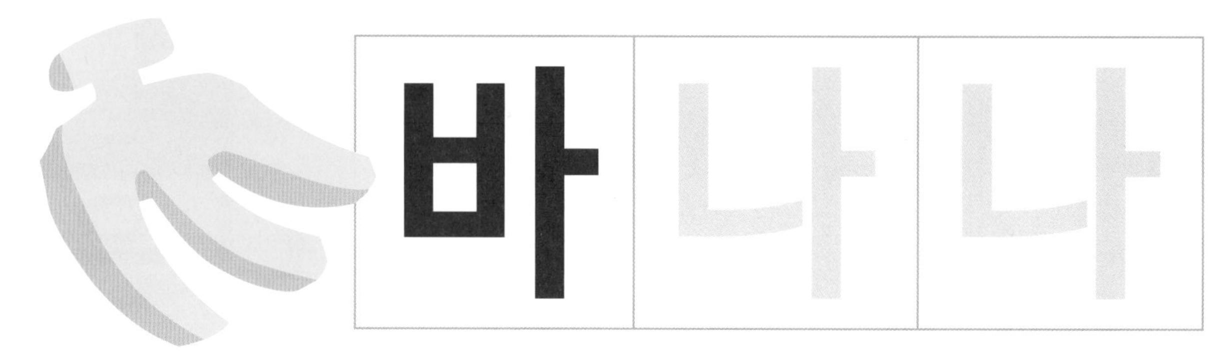

나를 익혀요

붙임딱지 1쪽

비

무

바나

TIP 이렇게 지도하세요! 붙임딱지에서 글자 '나'와 '나'가 들어간 낱말에 해당하는 그림을 찾아 알맞게 붙이도록 도와주세요. 자녀가 그림을 보며 낱말을 읽고 '나'의 모양과 소리를 정확하게 익힐 수 있도록 지도해 주세요.

너를 배워요

너 를 익혀요

TIP 이렇게 지도하세요! 그림을 살펴보며 네 개의 낱말을 차례대로 읽고, 글자 '너'가 들어간 낱말 세 개를 찾아 ○표 하도록 도와주세요. 자녀와 함께 낱말을 여러 번 읽으며 글자의 모양과 소리를 바르게 익히고, 앞에서 배운 '나'와 구별하여 기억하게 해 주세요.

노 를 배워요

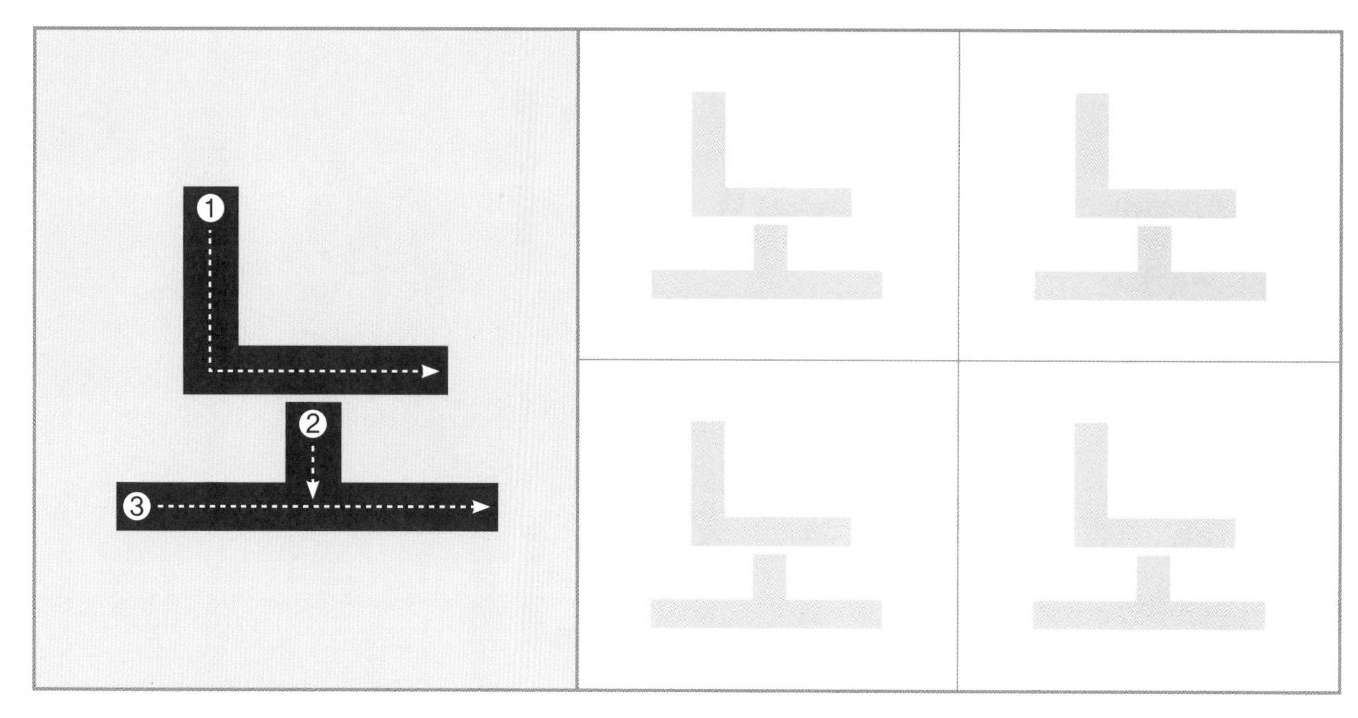

노	래

노	루

피	아	노

노 를 익혀요

TIP 이렇게 지도하세요! 자녀가 빈칸에 가로, 세로 두 낱말의 공통 글자 '노'를 따라 써넣도록 해 주세요. 그런 다음 그림과 함께 보며 완성한 낱말을 여러 번 읽고 '노'의 모양과 소리를 정확하게 기억할 수 있도록 도와주세요.

누를 배워요

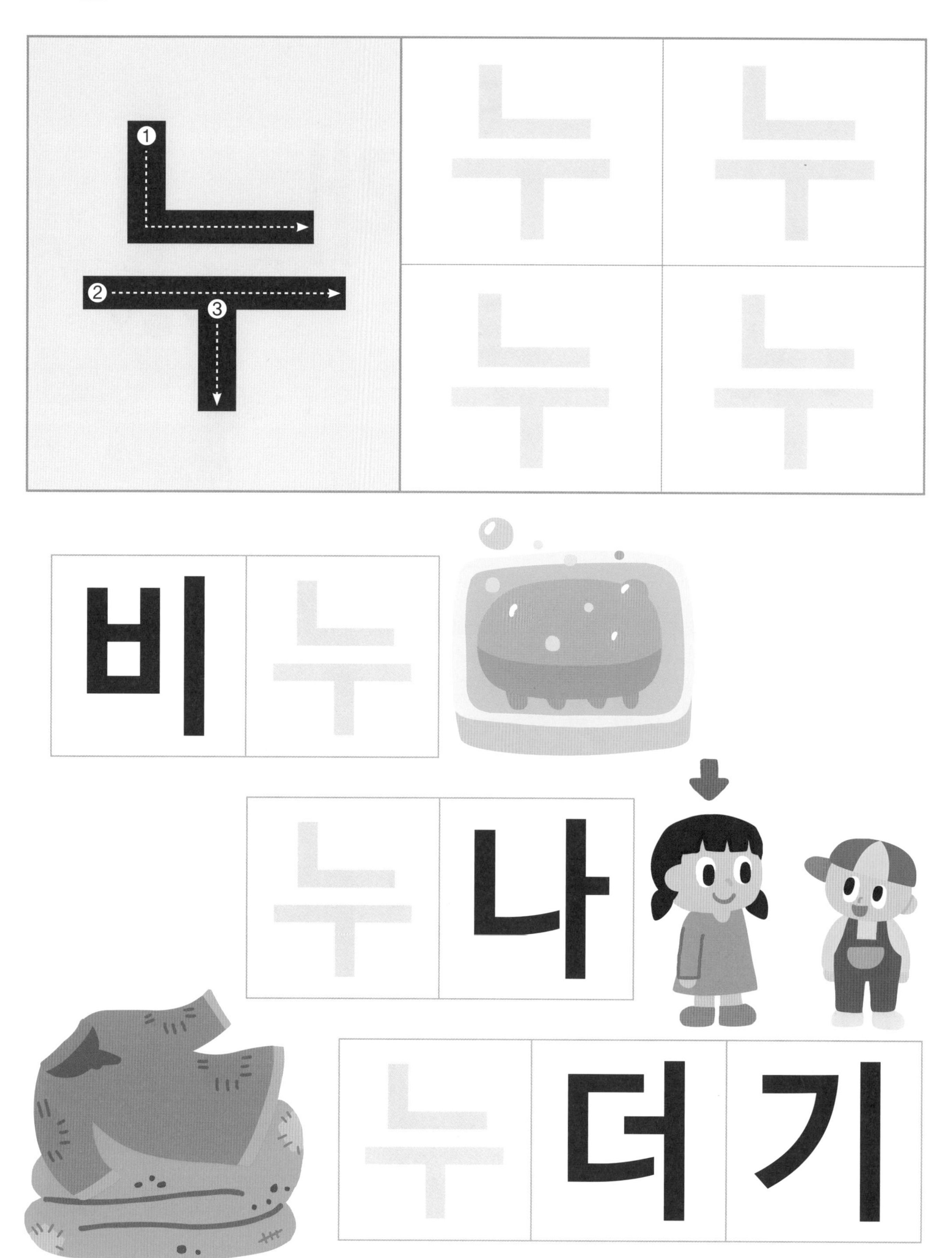

누 를 익혀요

TIP 이렇게 지도하세요! 네 개의 낱말을 차례대로 읽으며 자녀가 글자 '누'가 들어간 낱말을 찾을 수 있도록 도와주세요. 그리고 '누'가 들어간 낱말을 따라 선을 그으며 길 찾기 문제를 해결하게 해 주세요. 이때 여러 번 반복하여 낱말을 읽으면 '누'의 모양과 소리를 정확하게 익히는 데 도움이 됩니다.

ㄴ를 배워요

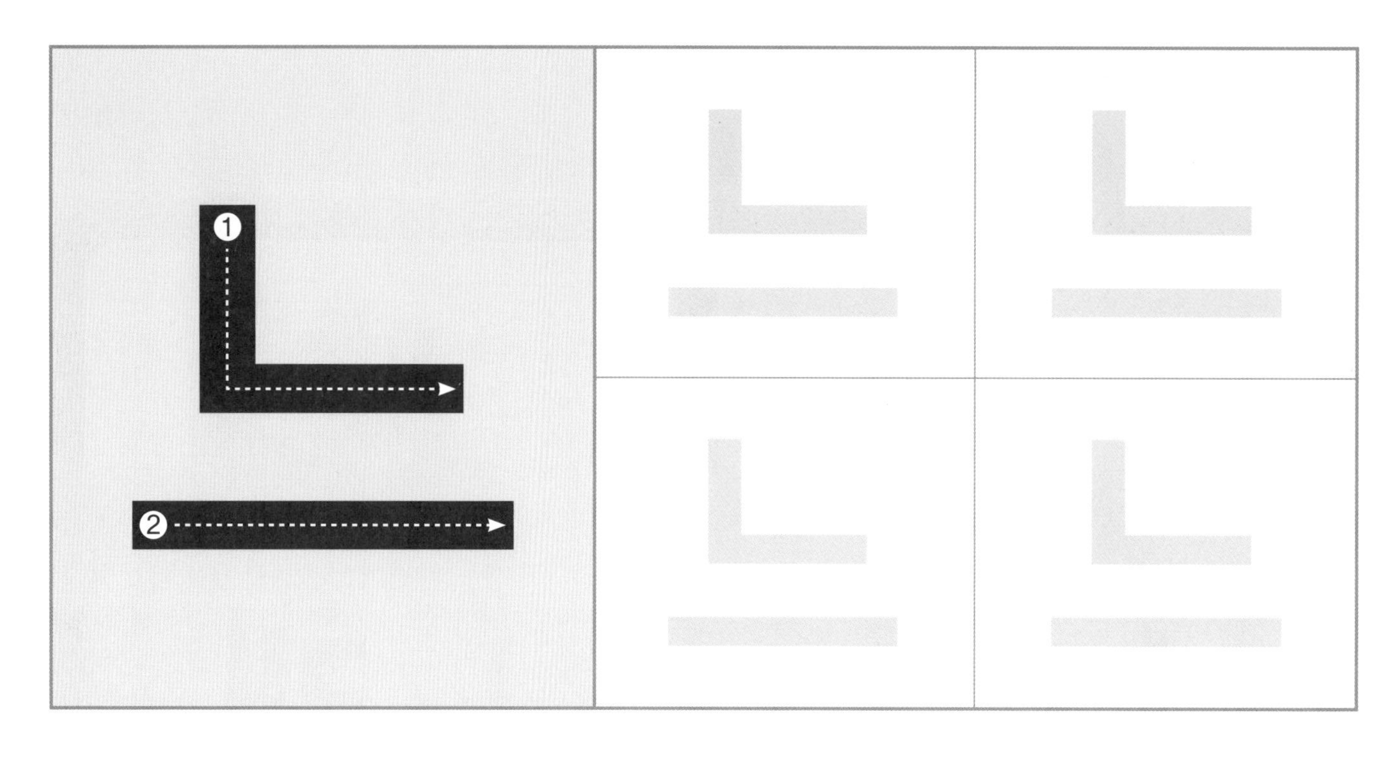

느 리 다

느 티 나 무

ㄴ 를 익혀요

노	느	리다

느	나	티나무

TIP 이렇게 지도하세요! 자녀가 네모 칸에 쓰인 두 글자 중에서 '느'를 찾아 색칠하여 낱말을 완성하도록 도와주세요. 그리고 자녀가 그림과 낱말을 함께 보며 정확한 소리로 읽으면서 '느'의 모양을 바르게 기억할 수 있도록 지도해 주세요.

니를 배워요

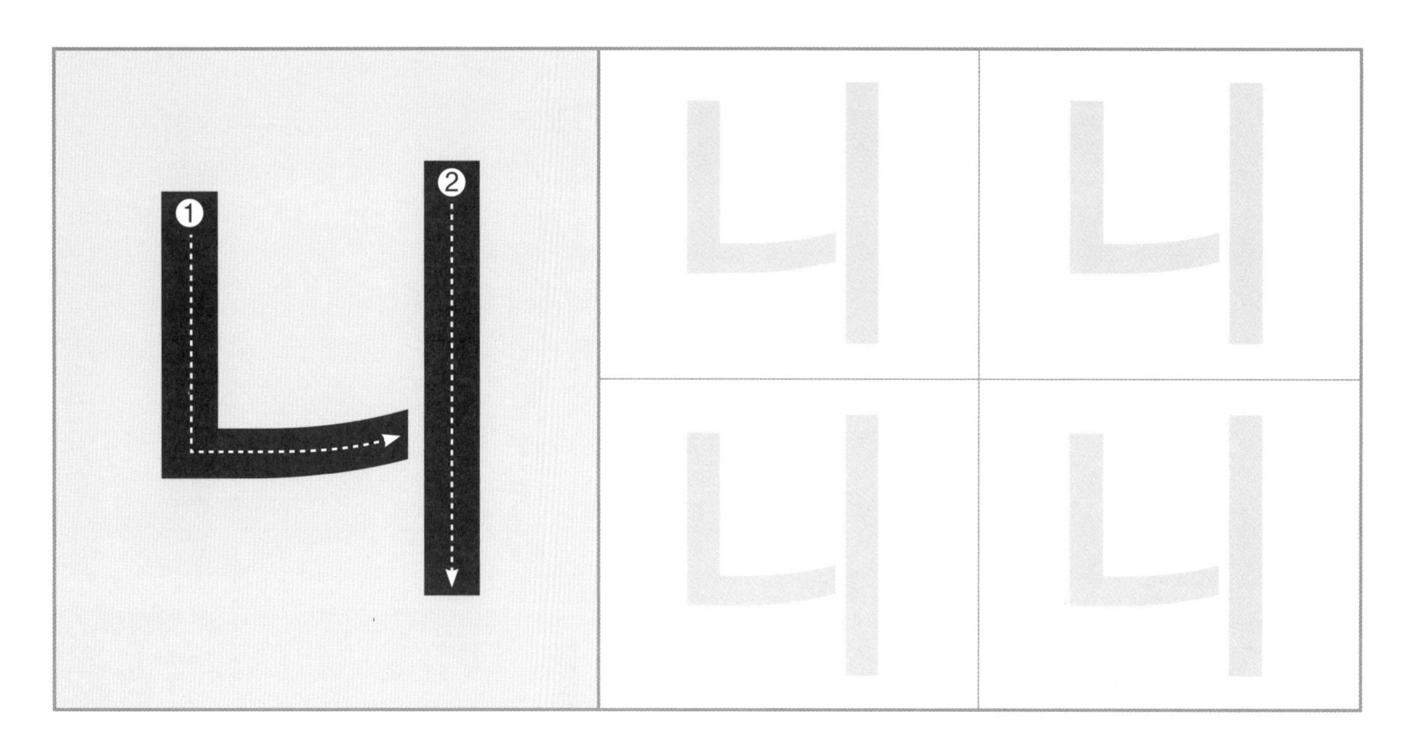

니 를 익혀요

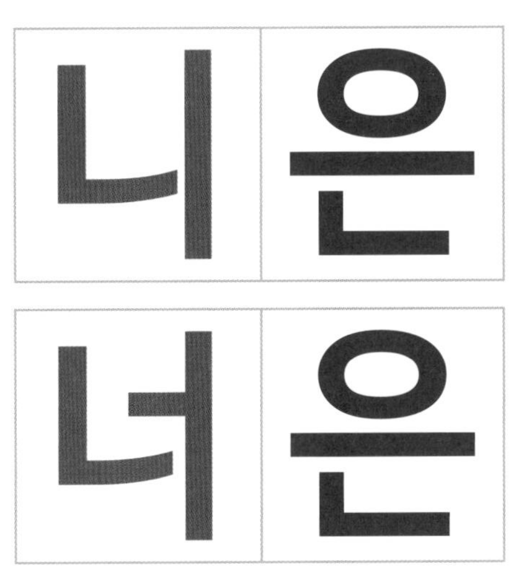

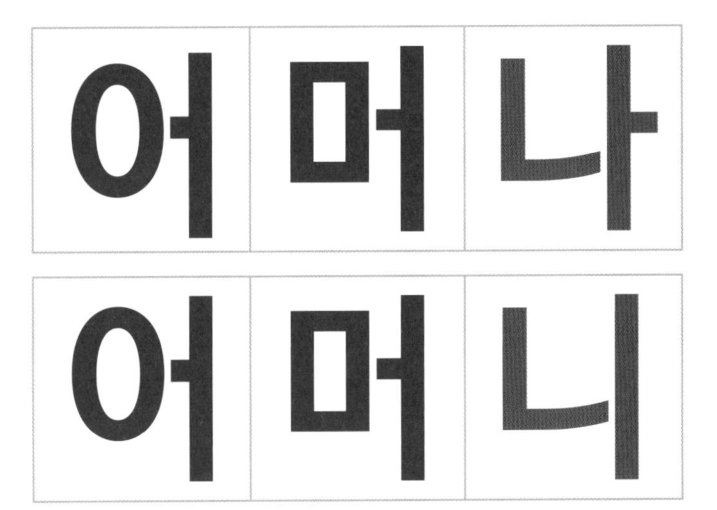

TIP 이렇게 지도하세요! 자녀와 함께 그림을 보며 낱말을 차례대로 소리 내어 읽고, 자녀가 글자 '니'가 알맞게 쓰인 것을 찾아 ○표 하도록 해 주세요. 바르게 쓴 낱말을 여러 번 소리 내어 읽으면서 자녀가 '니'의 모양과 소리를 정확하게 익힐 수 있도록 해 주세요.

글자를 찾아요

글자를 만들어요

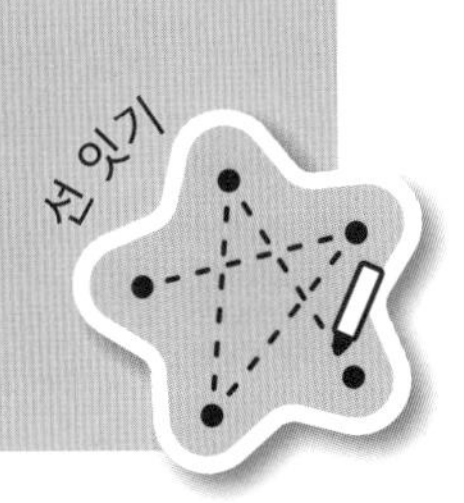

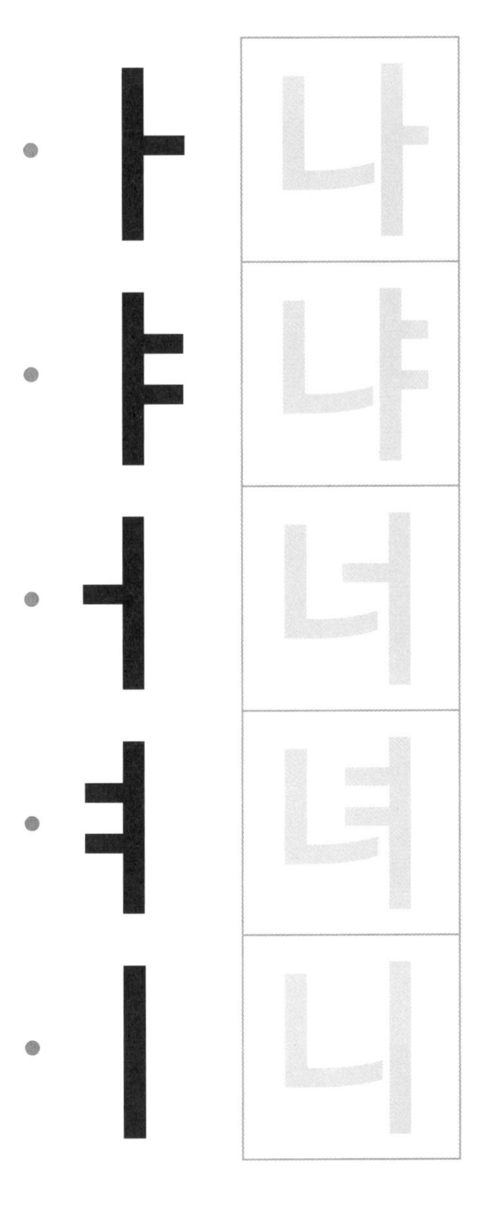

ㅗ	ㅛ	ㅜ	ㅠ	ㅡ
노	뇨	누	뉴	느

글자를 만나요

ㄷ + ㅏ → 다

TIP 이렇게 지도하세요! 챈트 영상을 보며 자음자 'ㄷ'을 읽을 때 어떤 소리가 나는지 떠올릴 수 있도록 도와주세요. 자녀와 함께 글자의 짜임을 살펴보며 'ㄷ'이 여러 가지 모음자와 만나면 어떤 글자가 되는지 알아보고, 그 글자는 어떻게 소리 나는지 익히게 해 주세요.

ㄷ
ㅗ
도
도마
ㄷ
ㅜ
두
두부
ㄷ
ㅡ
드
드럼
ㄷ
ㅣ
디
인디언

다를 배워요

다 를 익혀요

이렇게 지도하세요! 붙임딱지에서 글자 '다'를 찾아 붙여서 낱말을 완성하고, '다'가 들어간 낱말에 해당하는 그림도 찾아 자유롭게 붙이도록 해 주세요. 자녀와 함께 '다'가 들어간 낱말을 반복해서 읽으면서 자녀가 글자의 모양과 소리를 분명히 기억할 수 있도록 도와주세요.

더 를 배워요

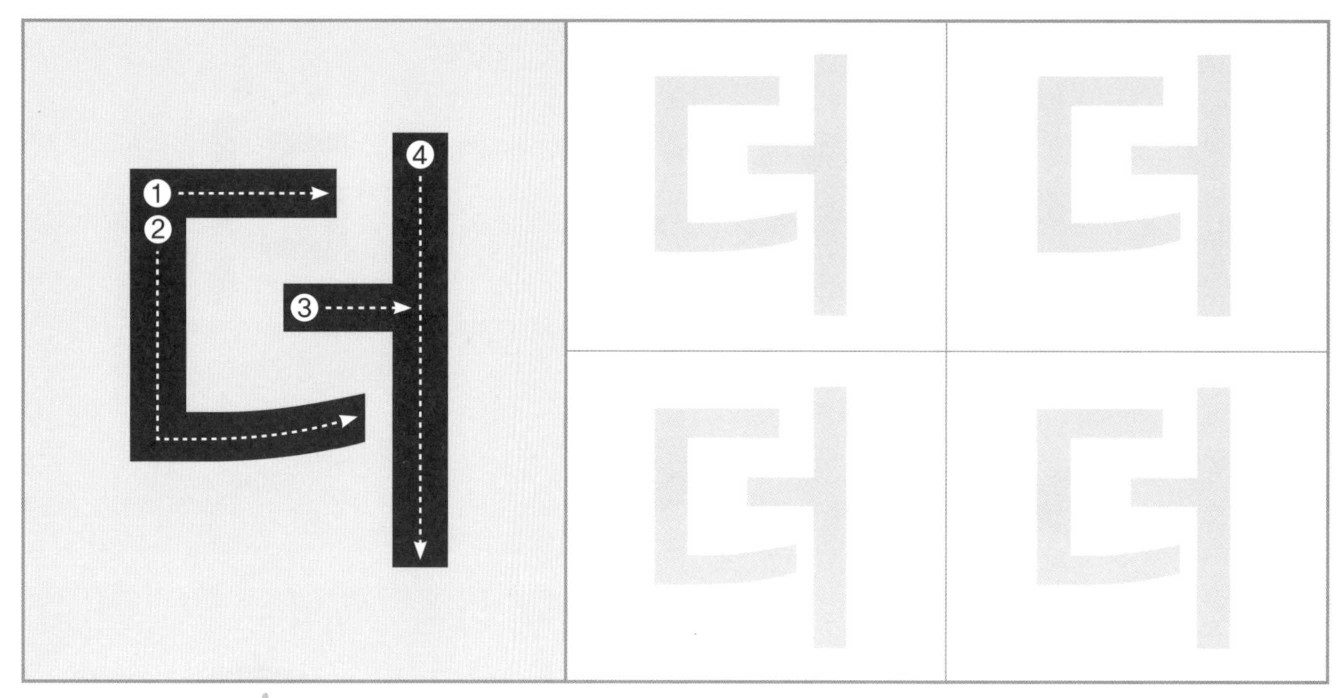

더	위

더	하	기

두	더	지

더 를 익혀요

TIP 이렇게 지도하세요! 자녀와 함께 그림을 살펴보며 낱말을 읽고 글자 '더'가 들어간 낱말 세 개를 찾아 ○표 하도록 도와주세요. 자녀가 낱말 읽는 것을 어려워하면 한 글자씩 먼저 끊어 읽고 글자를 합쳐서 낱말로 만들어 소리 내어 읽는 연습을 하도록 해 주세요.

도를 배워요

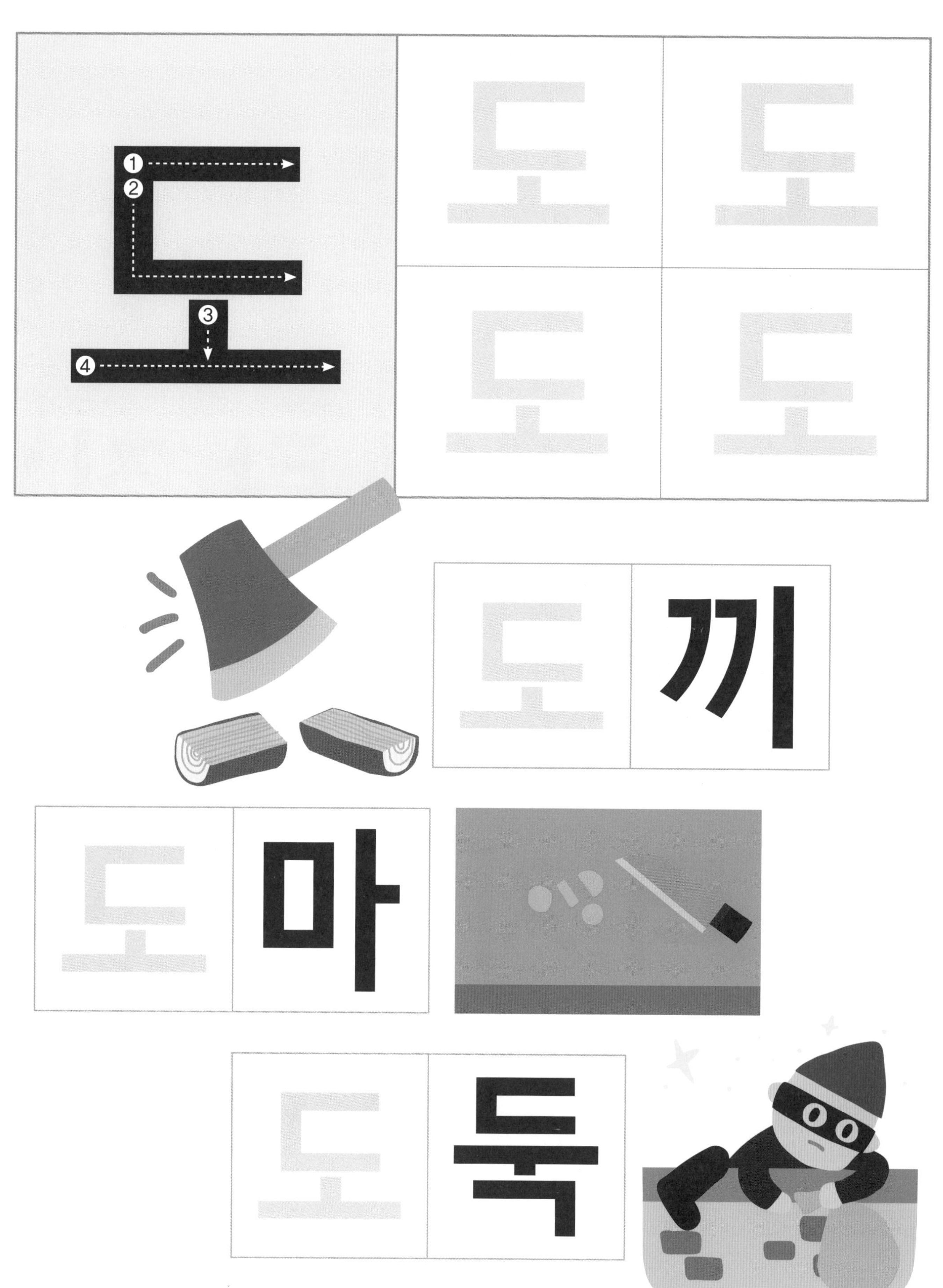

도를 익혀요

도

	끼
둑	

TIP 이렇게 지도하세요! 자녀가 빈칸에 글자 '도'를 바르게 따라 써넣어 낱말을 완성하고, '도'가 들어간 낱말을 반복하여 읽게 해 주세요. 자녀가 글자 쓰는 일을 따분하게 느끼지 않도록 'ㄷ'과 'ㅗ'가 만나면 어떤 글자가 되는지 물어봐 주시거나 '도'가 들어간 다른 낱말을 함께 더 찾아봐 주시면 좋습니다.

두 를 배워요

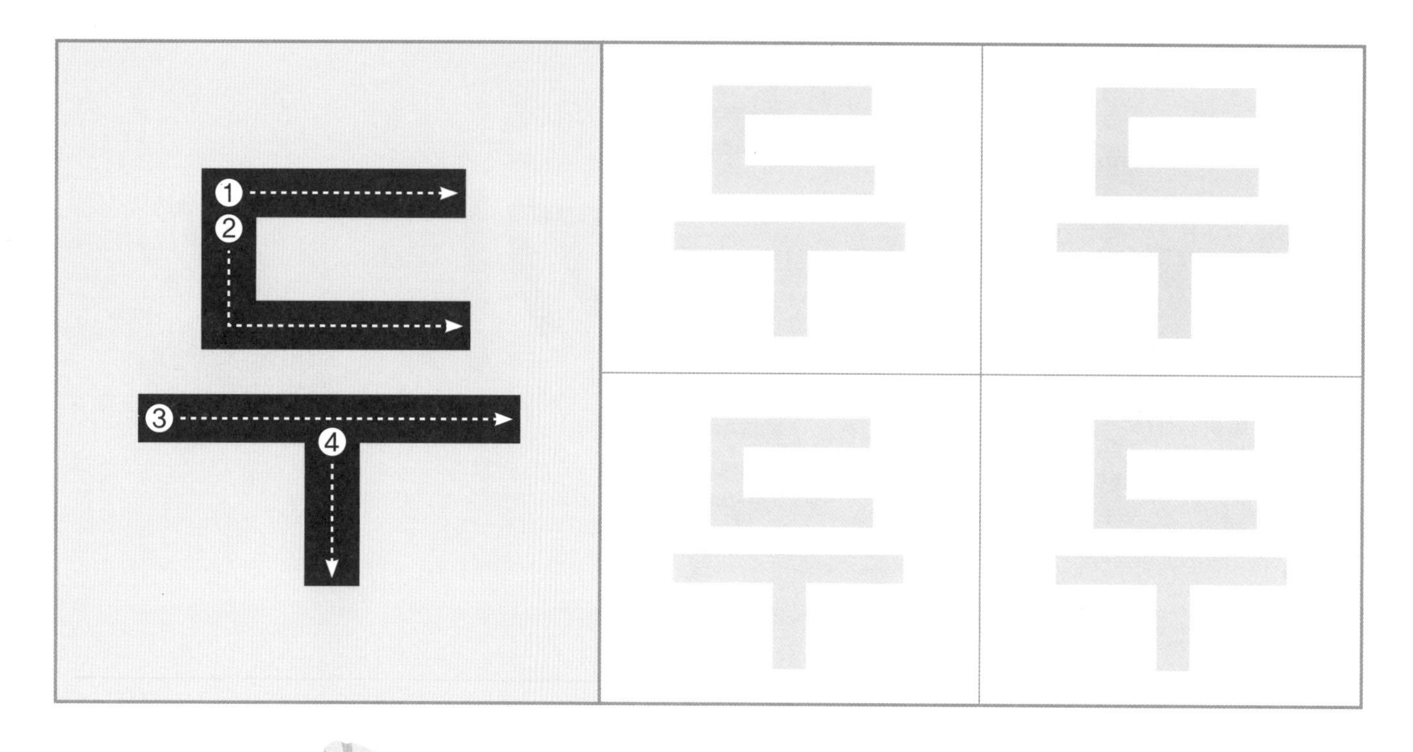

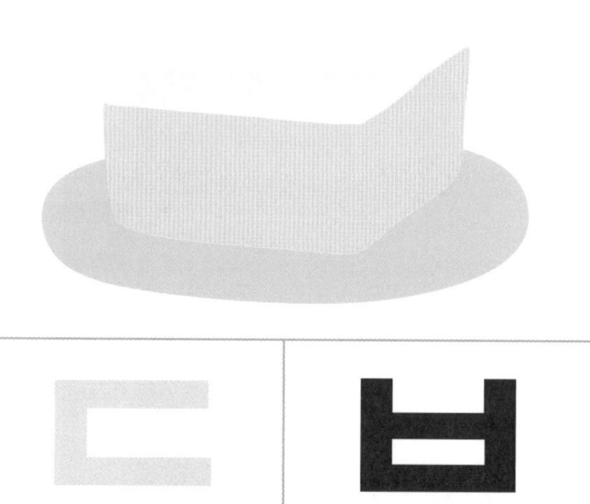

두유

두부

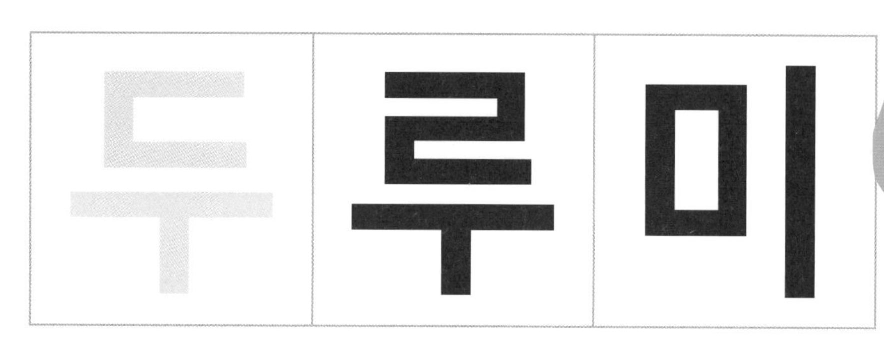

두 를 익혀요

출발

두부

두루미

도끼

두유

도착

TIP 이렇게 지도하세요! 자녀와 함께 낱말을 차례대로 읽고, 자녀가 글자 '두'가 들어간 낱말 세 개를 찾아 선을 그어서 길을 찾도록 도와주세요. 특히, '두부'나 '두유'와 같이 자녀가 일상생활에서 쉽게 접할 수 있는 낱말은 사물의 포장지에 적힌 '두' 자를 직접 찾아서 읽게 해 주시면 글자를 오래 기억할 수 있습니다.

드 를 배워요

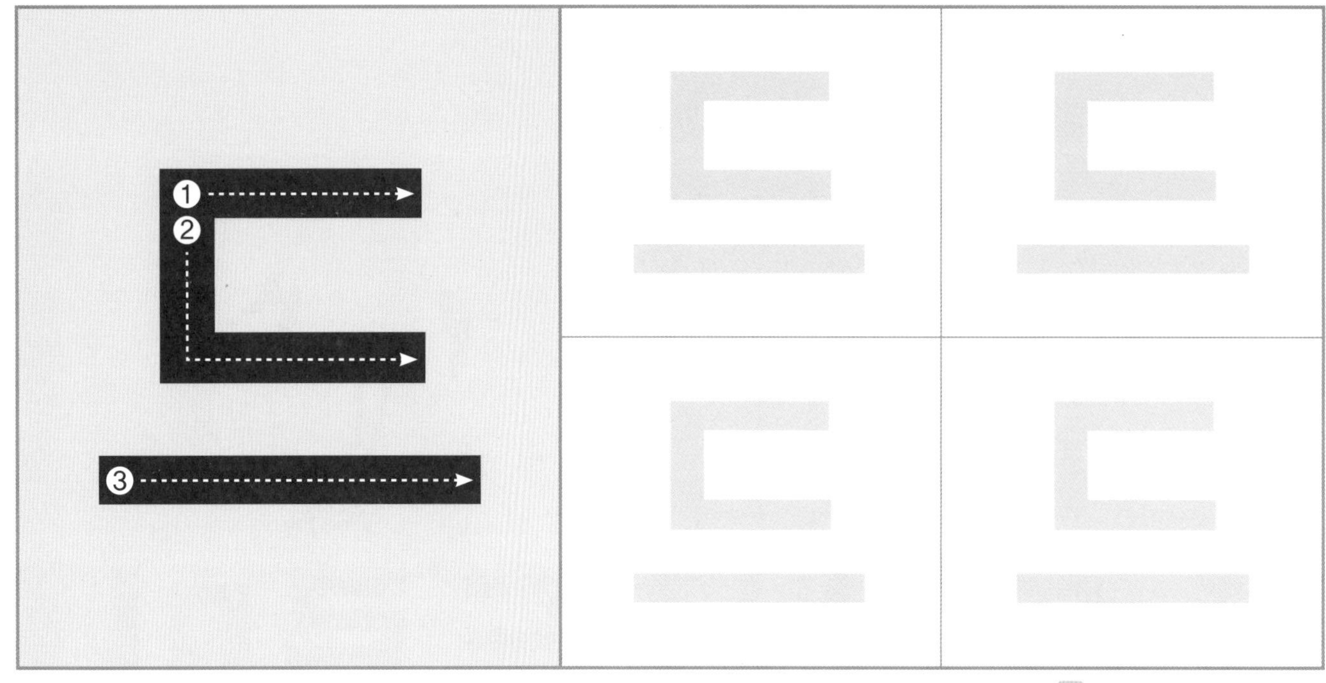

드	레	스

고	드	름

드	럼

드 를 익혀요

드 도 럼

다 드 레 스

고 드 두 름

TIP 이렇게 지도하세요! 자녀가 혼자 글자 '드'를 찾아 색칠하도록 해 주세요. 그런 다음 그림을 보면서 낱말을 읽고 '드'와 다른 글자의 모양을 잘 구별하고 있는지 확인해 주세요. 이 중에서 특히 '두'와 '드'는 비슷한 소리를 내는 글자이므로 반드시 정확하게 구별하여 알도록 지도해 주세요.

디 를 배워요

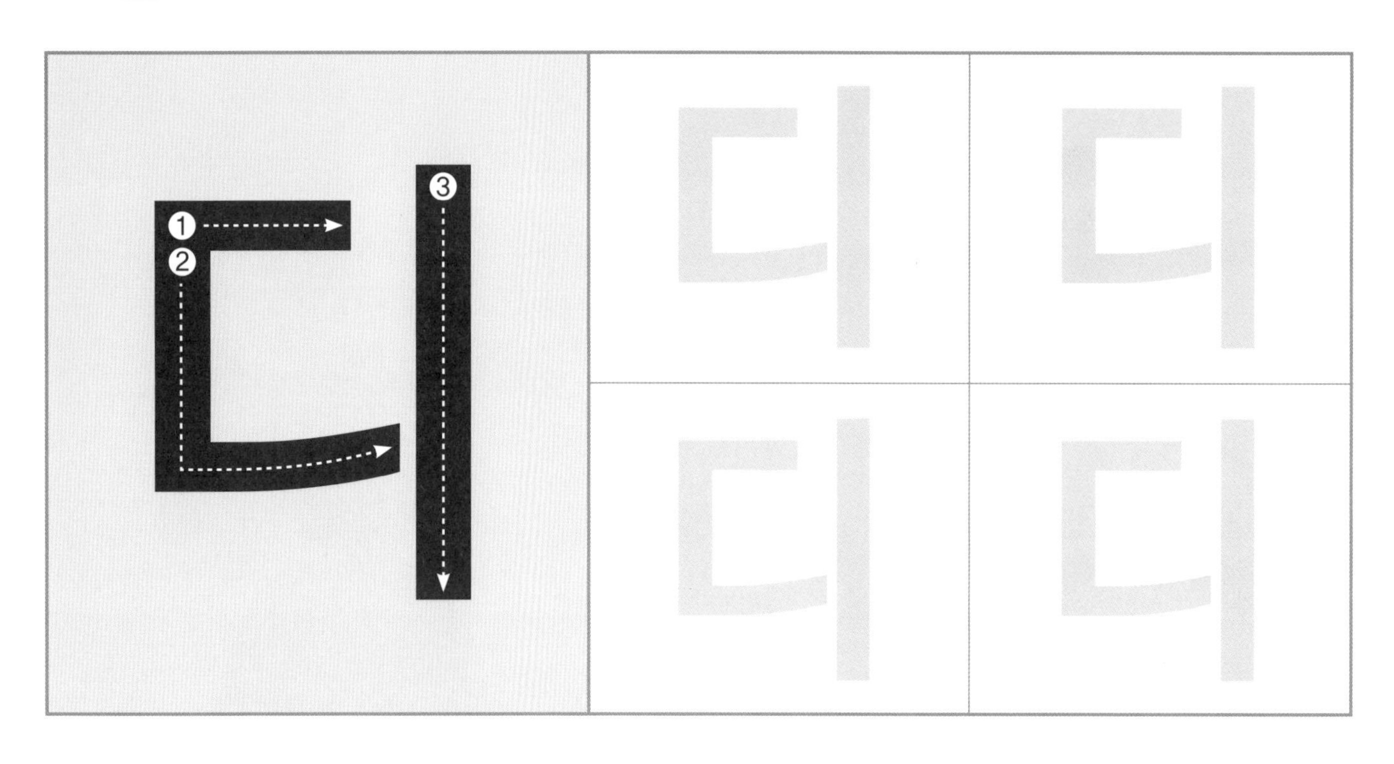

디 를 익혀요

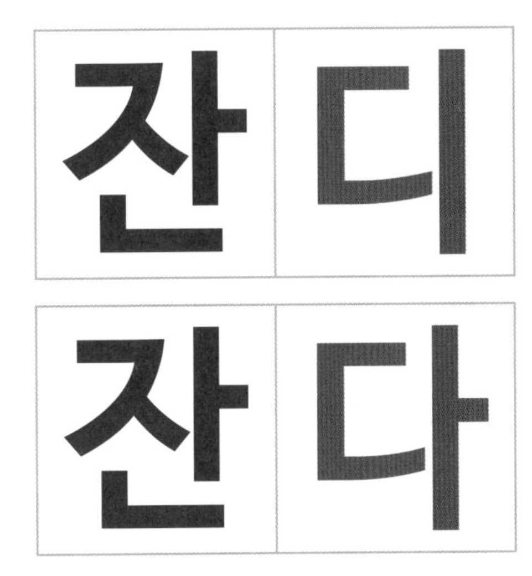

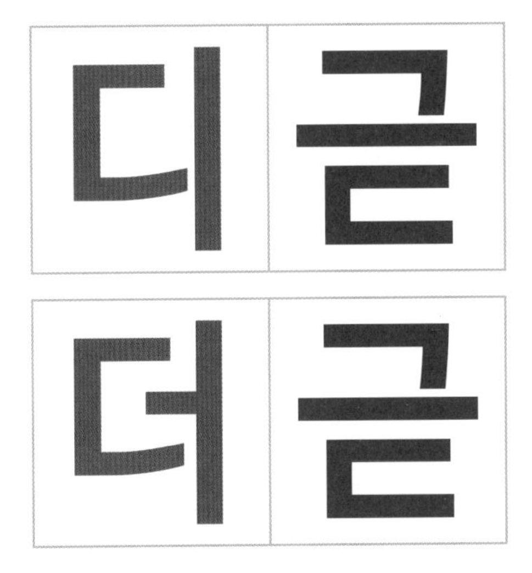

TIP 이렇게 지도하세요! 자녀가 그림을 보며 두 개의 주어진 낱말을 읽고, 스스로 글자 '디'가 알맞게 쓰인 낱말을 찾아 ○표 하게 해 주세요. 자녀가 어려워한다면 '디'를 먼저 찾아 표시하게 한 뒤, 부모님이 낱말을 먼저 읽고, 자녀가 따라 읽도록 도와주시는 것도 좋습니다.

글자를 찾아요

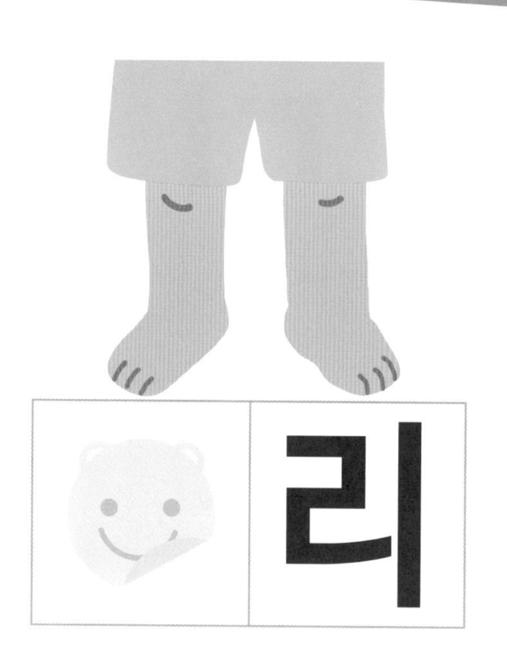

	리

	하	기

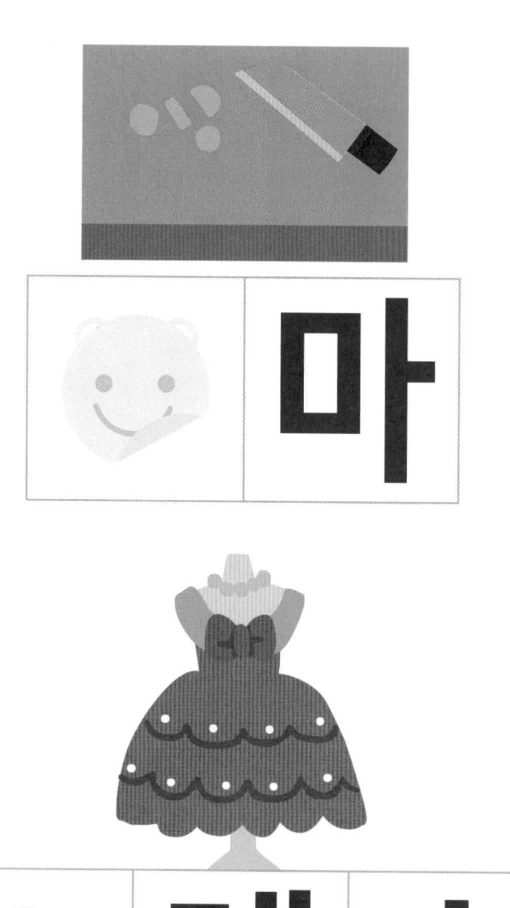

	마

	부

	레	스

잔	

글자를 만들어요

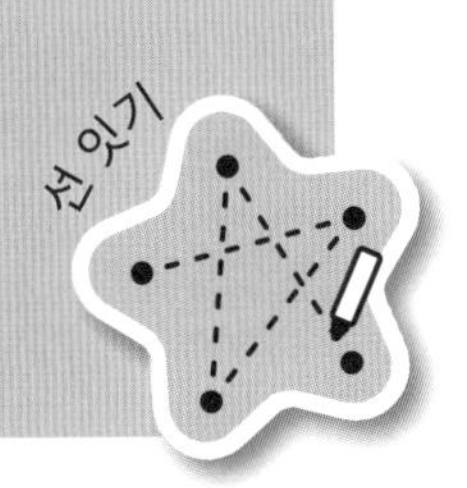

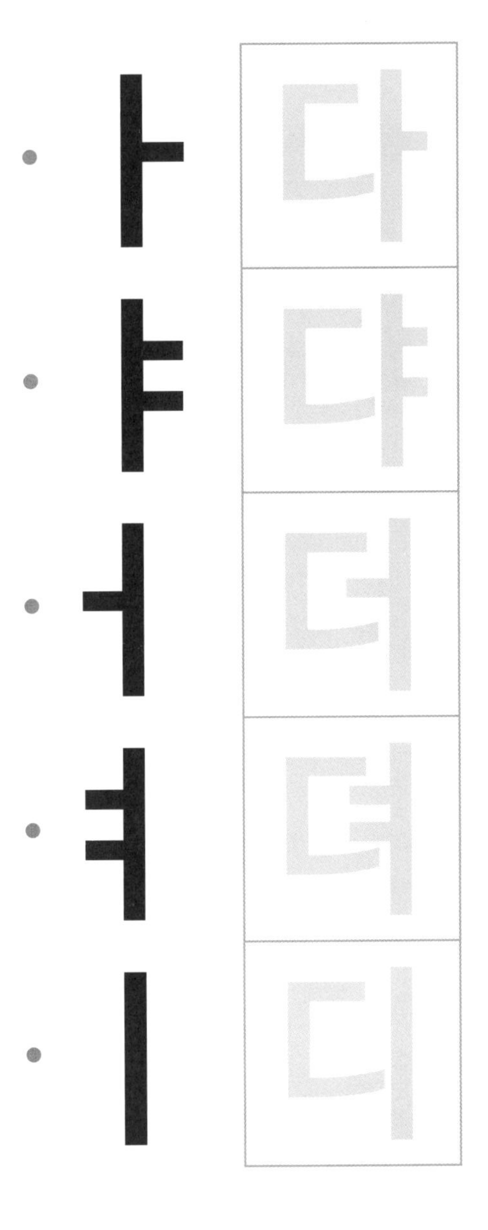

ㅗ ㅛ ㅜ ㅠ ㅡ

도	됴	두	듀	드

글자를 만나요

ㄹ + ㅏ → 라

TIP 이렇게 지도하세요! 자녀가 'ㄹ'을 어떻게 소리 내어 읽는지 떠올려 말할 수 있도록 도와주세요. 그리고 자녀와 함께 챈트 영상을 보며 글자의 짜임을 살펴보고 'ㄹ'이 여러 가지 모음자와 만나면 어떤 글자가 되는지, 그 글자는 어떻게 소리 나는지 알려 주세요.

ㄹ

ㅗ

로봇

ㄹ

ㅜ

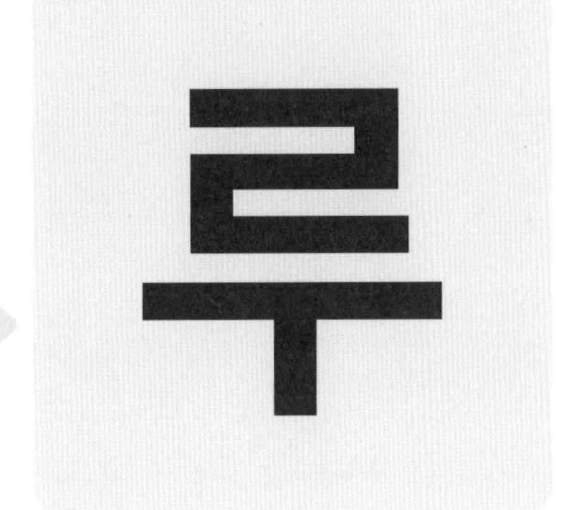

가루

가르마

유리

라 를 배워요

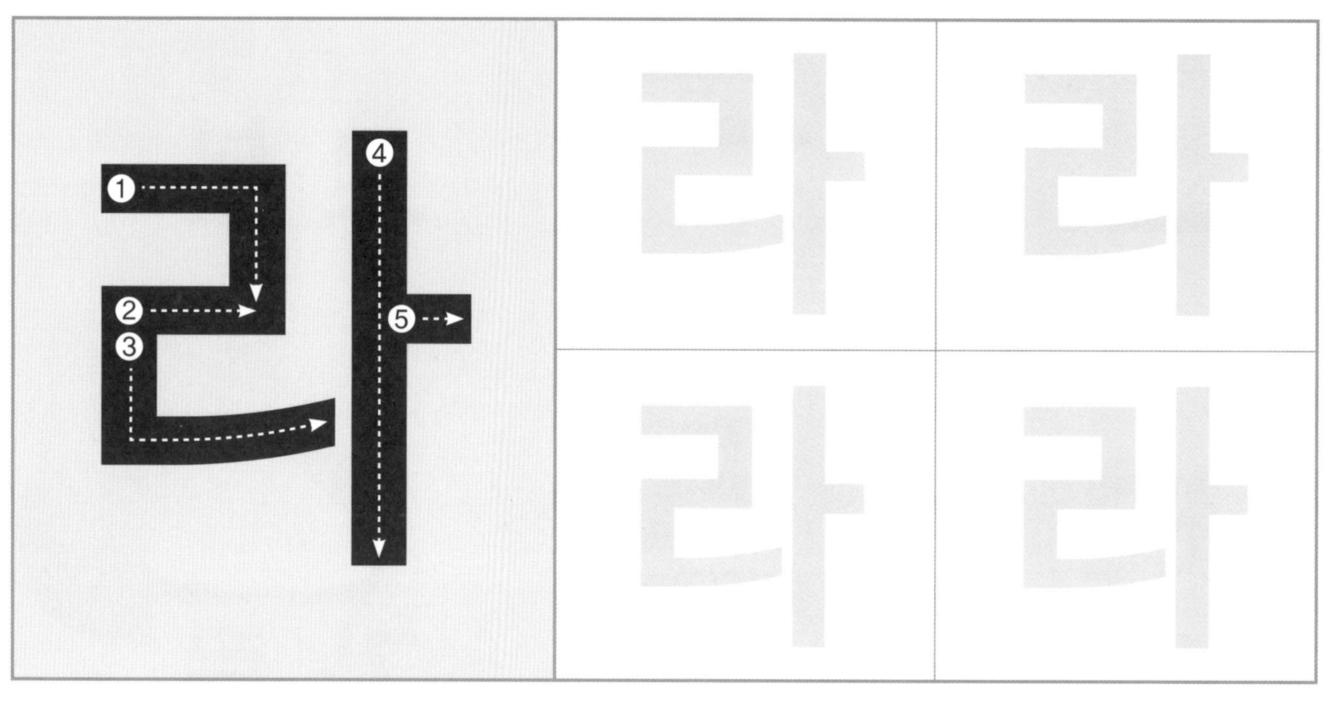

라	면

소	라

라	디	오

라를 익혀요

TIP 이렇게 지도하세요! 자녀가 붙임딱지에서 글자 '라'를 찾아 낱말을 모두 완성하고 낱말을 소리 내어 읽도록 해 주세요. 그리고 '라'가 들어간 낱말에 해당하는 그림을 찾아 자녀가 원하는 곳에 붙이고 낱말을 자연스럽게 익힐 수 있도록 도와주세요.

러 를 배워요

러 를 익혀요

TIP 이렇게 지도하세요! 자녀와 함께 그림을 살펴보며 낱말을 읽고, 자녀가 글자 '러'가 들어간 낱말 세 개를 찾아 ○표 하도록 도와주세요. 자녀가 평소에 '러' 자를 읽는 경우는 드물기 때문에 주어진 낱말 '기러기', '러시아', '샐러드'를 보면서 글자 '러'를 충분히 익히게 지도해 주세요.

로 를 배워요

로 를 익혀요

TIP 이렇게 지도하세요! 자녀가 빈칸에 글자 '로'를 써넣어 낱말을 완성하게 도와주세요. 자녀가 '로'에 있는 'ㄹ'을 한번에 이어 쓰는 실수를 하지 않도록 'ㄹ'을 3획으로 쓰는 연습과 그 아래쪽에 'ㅗ'를 2획으로 쓰는 연습을 처음부터 시켜 주시면 글자의 바른 모양을 기억하는 데 도움이 됩니다.

루 를 배워요

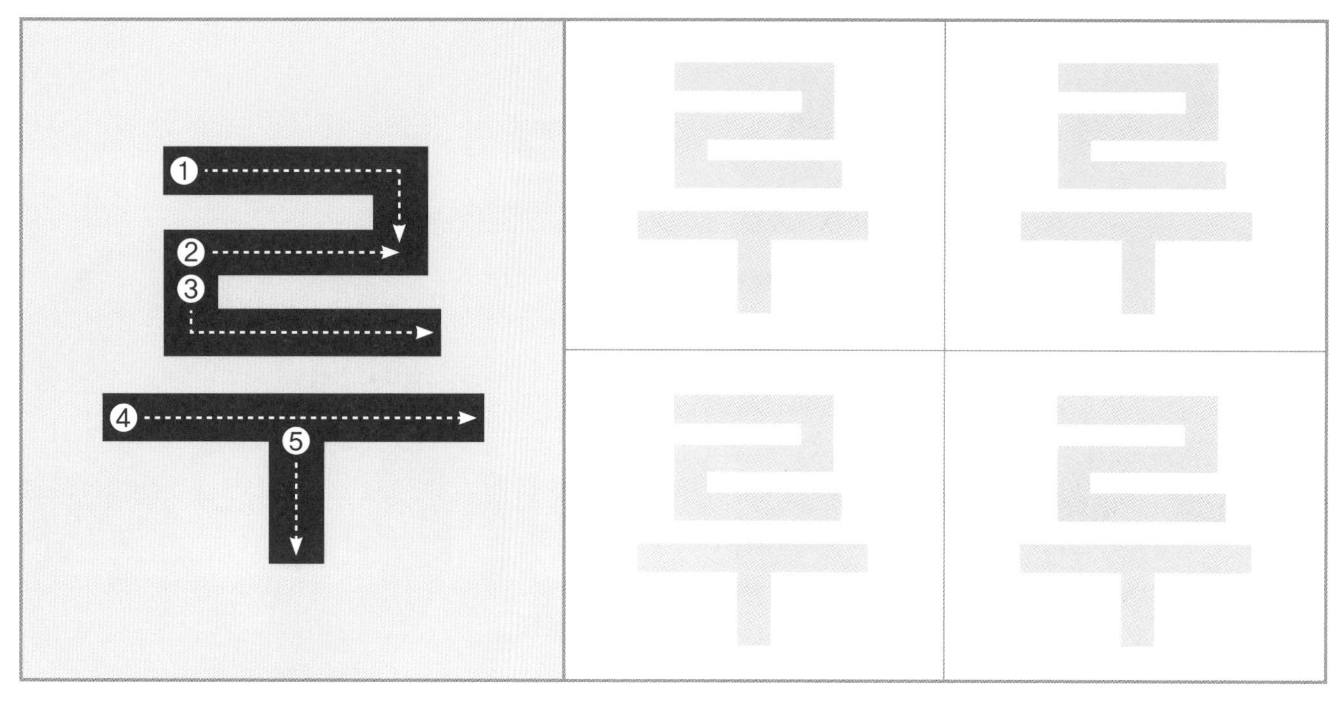

마 루

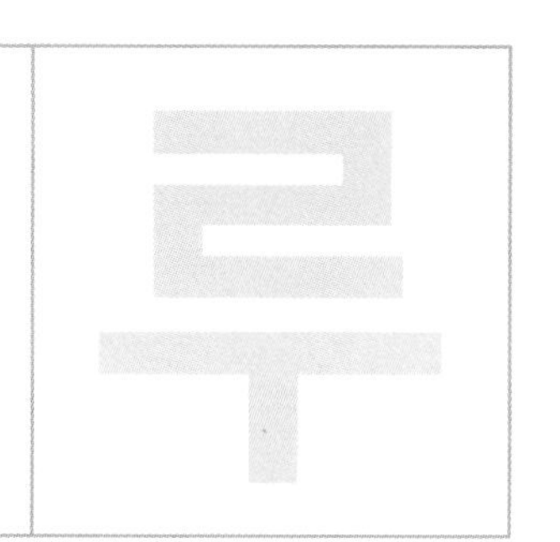

루 를 익혀요

'루'를 따라 길 찾기

출발

밀가루

가루

도로

마루

캥거루

도착

TIP 이렇게 지도하세요! 자녀와 함께 네 개의 낱말을 차례대로 읽고, 자녀가 글자 '루'가 들어간 낱말을 찾아 선을 그어서 길을 찾도록 도와주세요. 그리고 '루'와 모양이 비슷하지만 모음자가 다른 글자 '로'를 구별하여 기억할 수 있도록 지도해 주세요.

리를 배워요

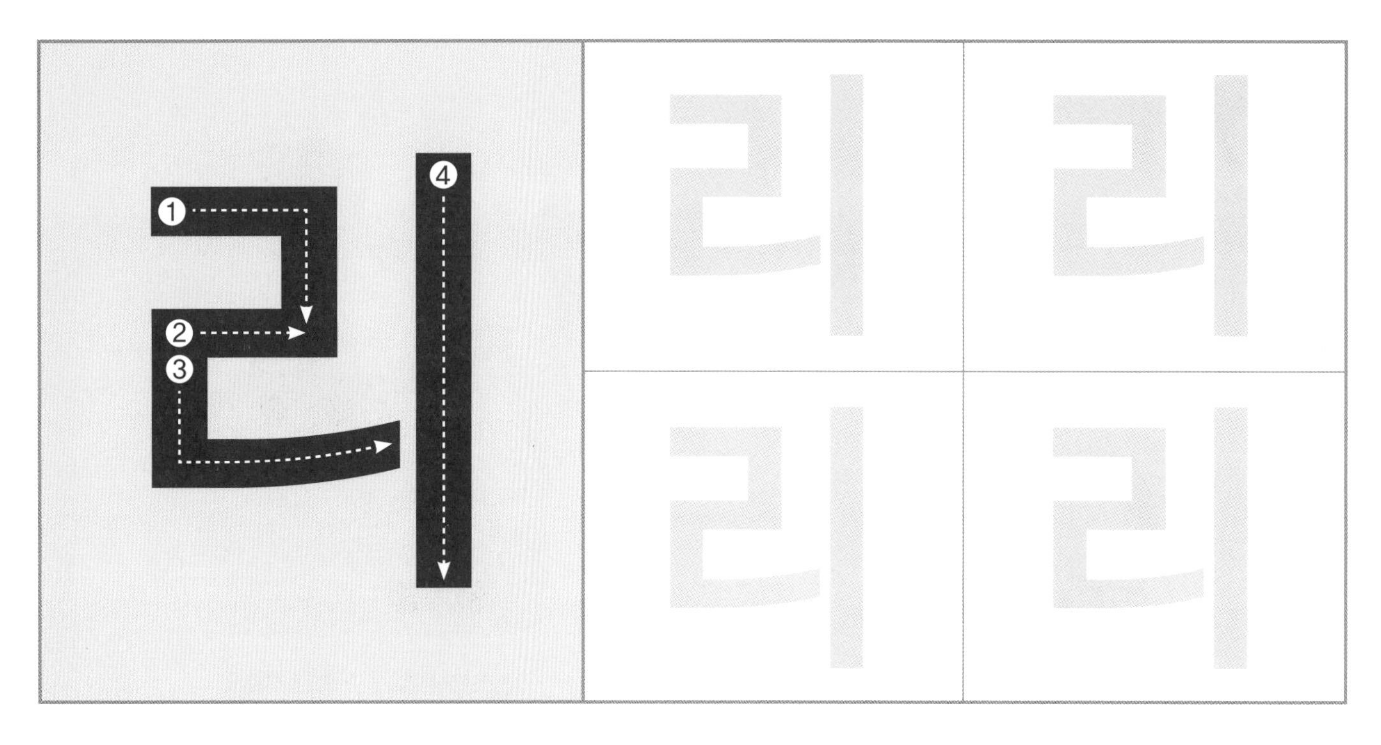

개	구	리

유	리

잠	자	리

리 를 익혀요

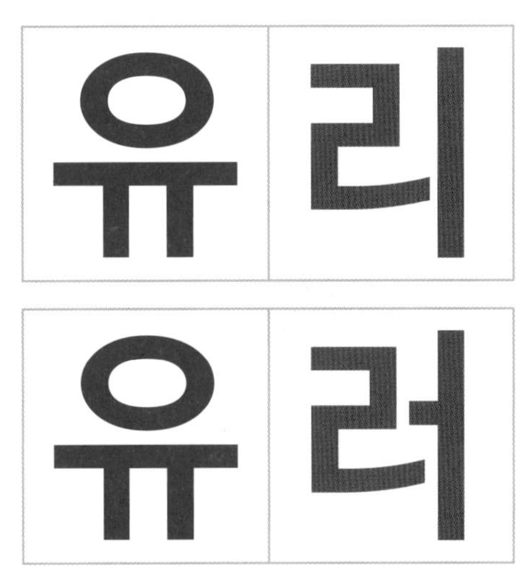

개구리

개구르

TIP 이렇게 지도하세요! 그림을 보며 자녀와 함께 낱말을 읽고, 글자 '리'가 알맞게 쓰인 것을 하나씩 찾아 ○표 하도록 도와주세요. 자녀가 두 낱말을 비교하여 보면서 글자의 짜임을 이해하고 '리'의 모양과 소리를 정확하게 기억할 수 있도록 해 주세요.

글자를 찾아요

글자를 만들어요

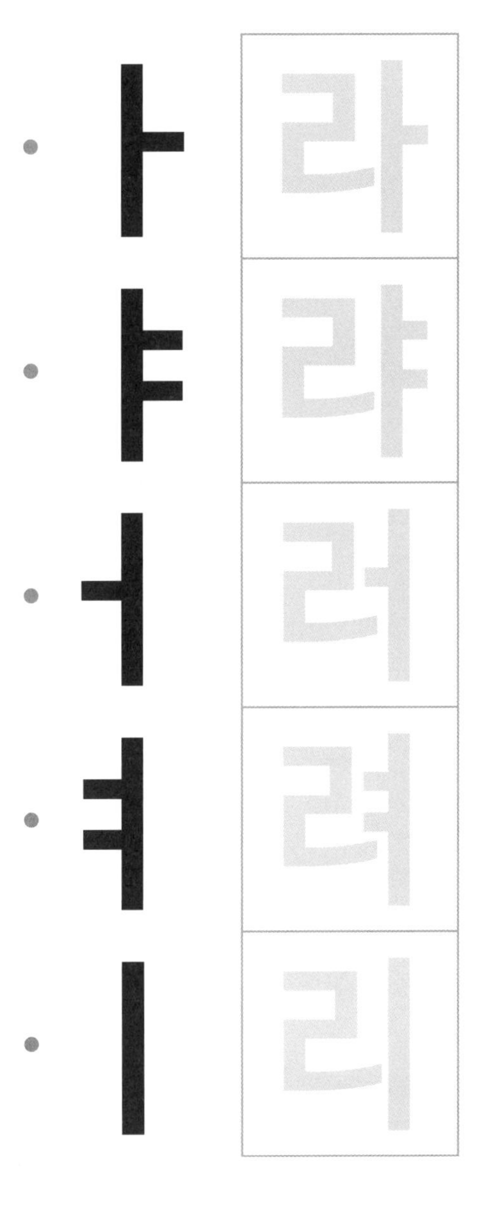

ㅗ ㅛ ㅜ ㅠ ㅡ

로	료	루	류	르

글자를 만나요

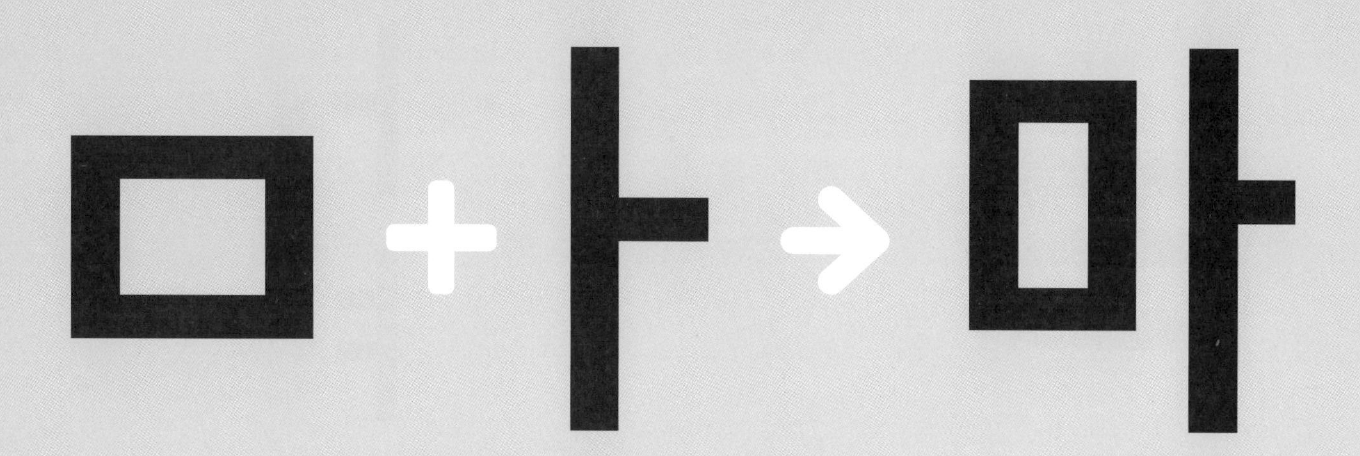

이렇게 지도하세요! 자녀와 함께 챈트 영상을 보며 'ㅁ'의 소리를 알아보세요. 그리고 재미있는 영상과 멜로디 속에서 'ㅁ'이 'ㅏ', 'ㅓ', 'ㅗ', 'ㅜ', 'ㅡ', 'ㅣ'를 만나면 어떤 글자가 되는지, 그 글자는 어떤 소리가 나는지 함께 익히고 기억할 수 있게 해 주세요.

ㅁ
ㅗ
모
모기
ㅁ
ㅜ
무
무
ㅁ
ㅡ
므
오므
라이스
ㅁ
ㅣ
미
미로

마를 배워요

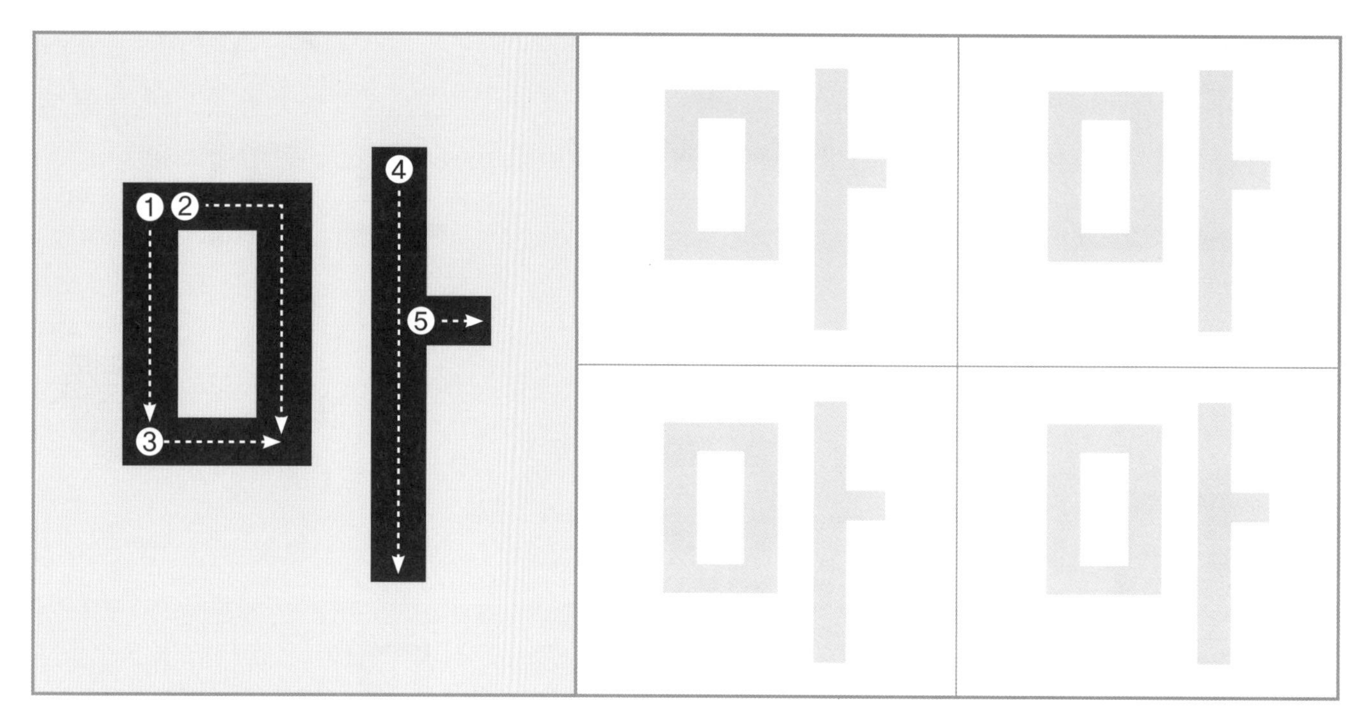

마술

마 를 익혀요

TIP 이렇게 지도하세요! 붙임딱지에서 글자 '마'를 찾아 붙여 낱말을 완성하고, '마'가 들어간 낱말에 해당하는 그림을 찾아 원하는 자리에 자유롭게 붙이도록 해 주세요. 자녀가 붙임딱지를 붙이는 활동을 통해 '마'의 모양과 소리를 익힐 수 있도록 도와주세요.

머 를 배워요

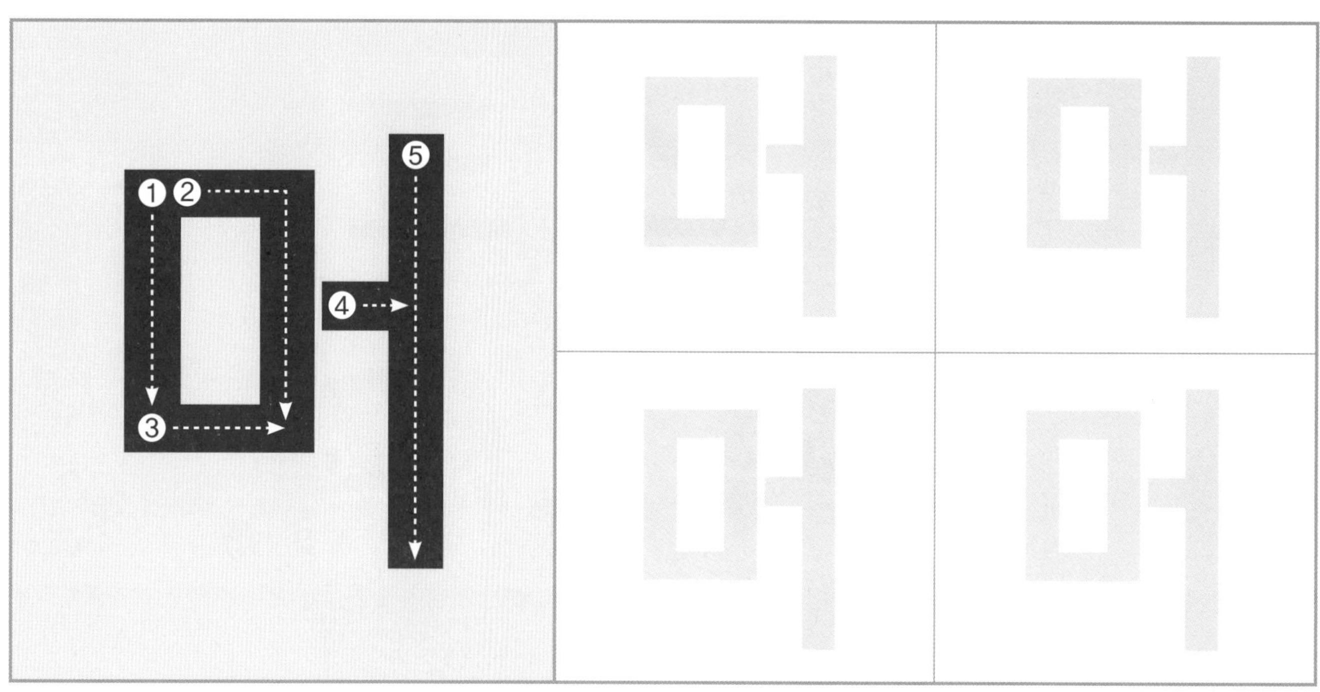

머 를 익혀요

TIP 이렇게 지도하세요! 자녀와 함께 그림을 보며 네 개의 낱말을 읽고 자녀가 스스로 글자 '머'가 들어간 낱말 세 개를 찾아 ○표 하도록 도와주세요. 자녀가 '머'를 찾으며 글자 '머'와 '머'가 들어 있는 낱말을 모두 기억할 수 있도록 도와주세요.

모를 배워요

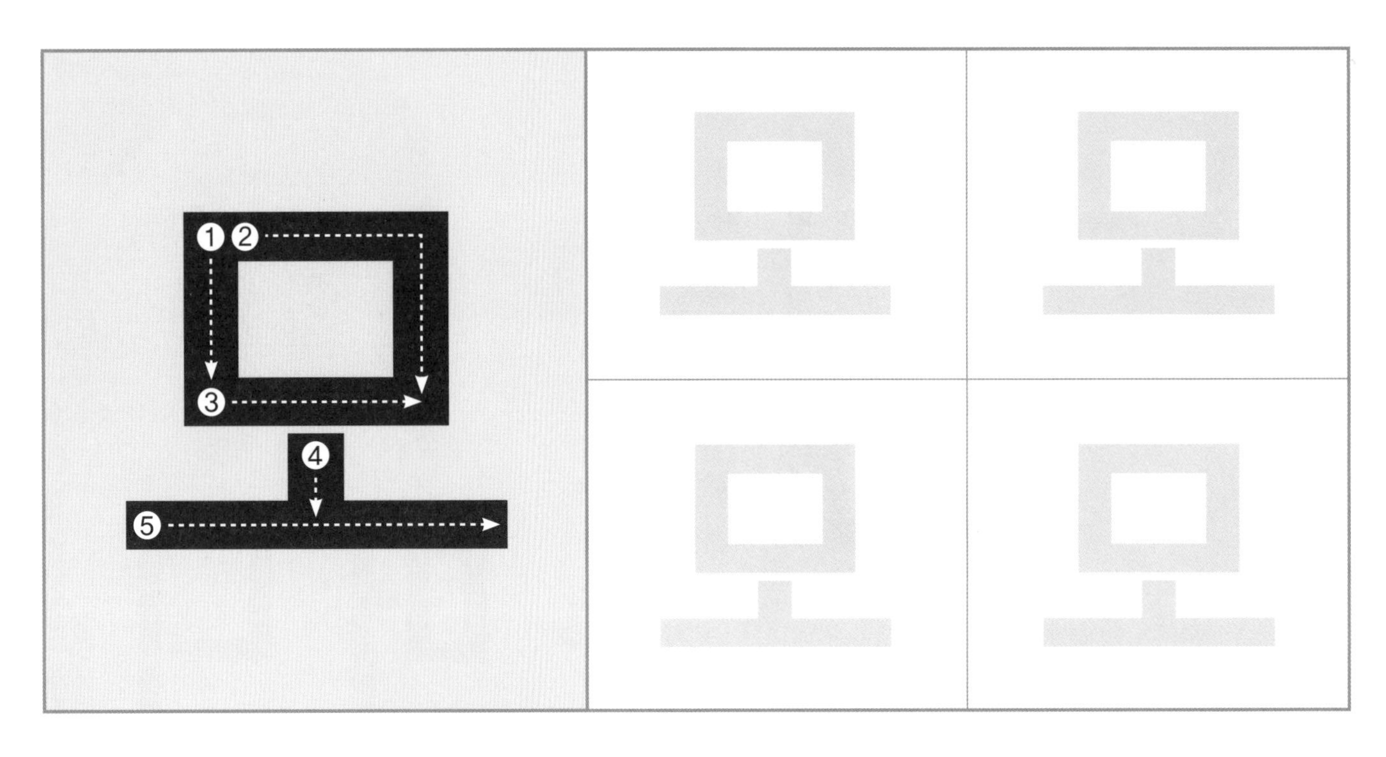

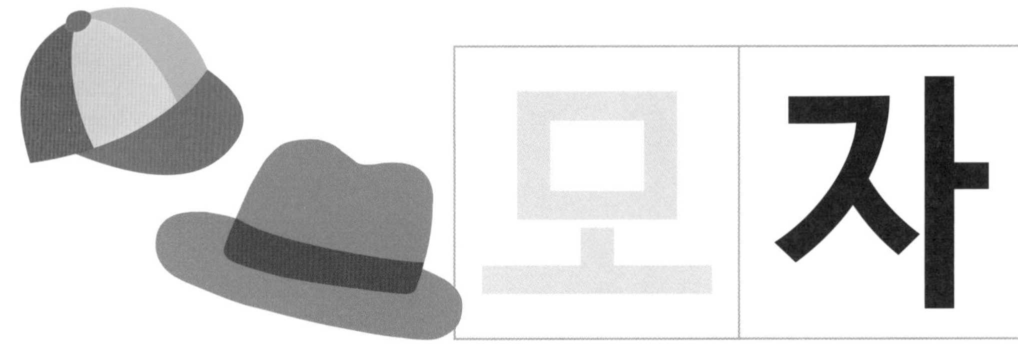

모자

모기

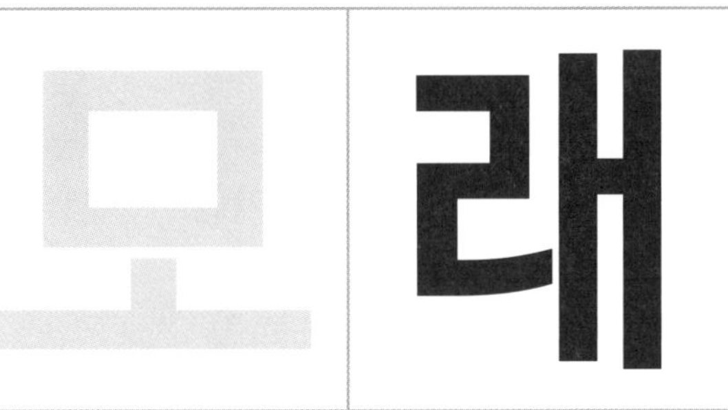

모래

모 를 익혀요

TIP 이렇게 지도하세요! 자녀가 글자 쓰는 순서를 지켜 빈칸에 '모'를 바르게 쓸 수 있도록 도와주세요. 글자를 바르게 쓰고 자신이 쓴 낱말을 소리 내어 읽다 보면 '모'의 모양과 소리를 정확하게 기억할 수 있게 됩니다.

무 를 배워요

무 를 익혀요

TIP 이렇게 지도하세요! 자녀와 함께 낱말을 차례대로 읽어 보세요. 그리고 자녀가 글자 '무'가 들어간 낱말을 따라 선을 그어서 길을 찾을 수 있도록 도와주세요. '무'와 모양이 비슷하지만 모음자가 다른 '모'를 확실하게 구별하여 기억할 수 있도록 지도해 주세요.

미 를 배워요

미 를 익혀요

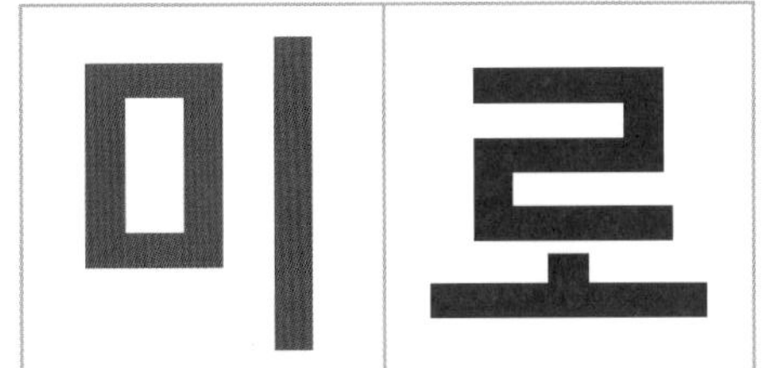

모로

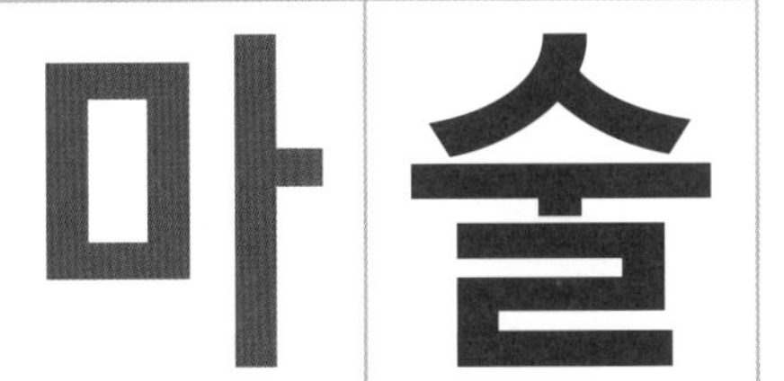

미술

머소

미소

TIP 이렇게 지도하세요! 자녀와 함께 낱말을 읽고 자녀가 글자 '미'가 알맞게 쓰인 것을 하나씩 찾아 ○표 하도록 도와주세요. '마술'은 앞에서 배운 낱말이라 그림을 제대로 보지 않고 ○표 하여 잘못 답하기 쉽습니다. 항상 자녀가 그림을 먼저 보고 바른 낱말을 고르도록 지도해 주세요.

글자를 찾아요

 술

 스크

주 니

 자

지개

 소

글자를 만들어요

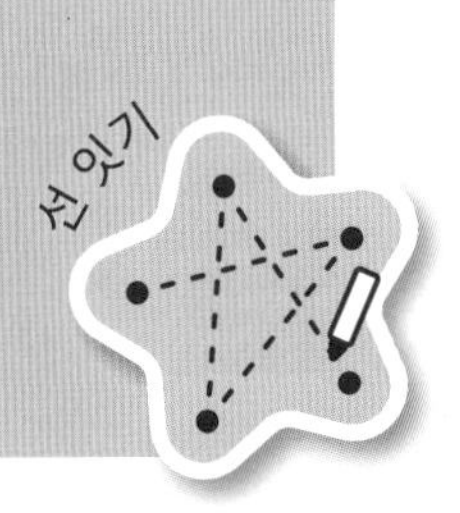

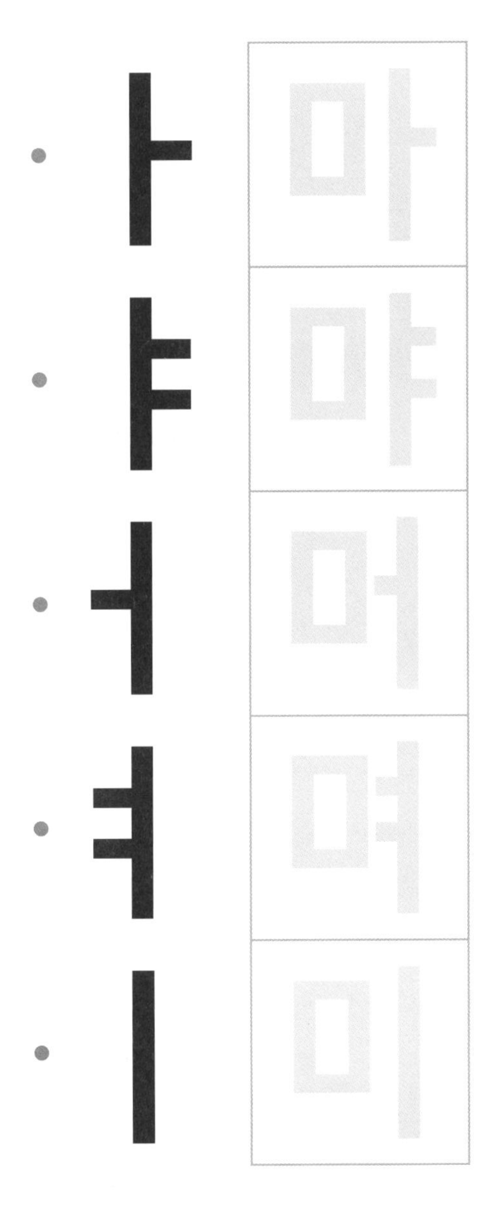

ㅗ ㅛ ㅜ ㅠ ㅡ

모	묘	무	뮤	므

글자를 만나요

TIP 이렇게 지도하세요! 자녀가 'ㅂ'을 어떻게 소리 내어 읽는지 떠올리게 해 주세요. 그리고 함께 챈트 영상을 보며 'ㅂ'이 모음자와 만나면 어떤 글자가 되는지, 글자의 짜임을 살펴보고 글자의 소리도 함께 알려 주세요.

ㅂ
ㅗ
보
보리
ㅂ
ㅜ
부
부채
ㅂ
ㅡ
브
코브라
ㅂ
ㅣ
비
비

바 를 배워요

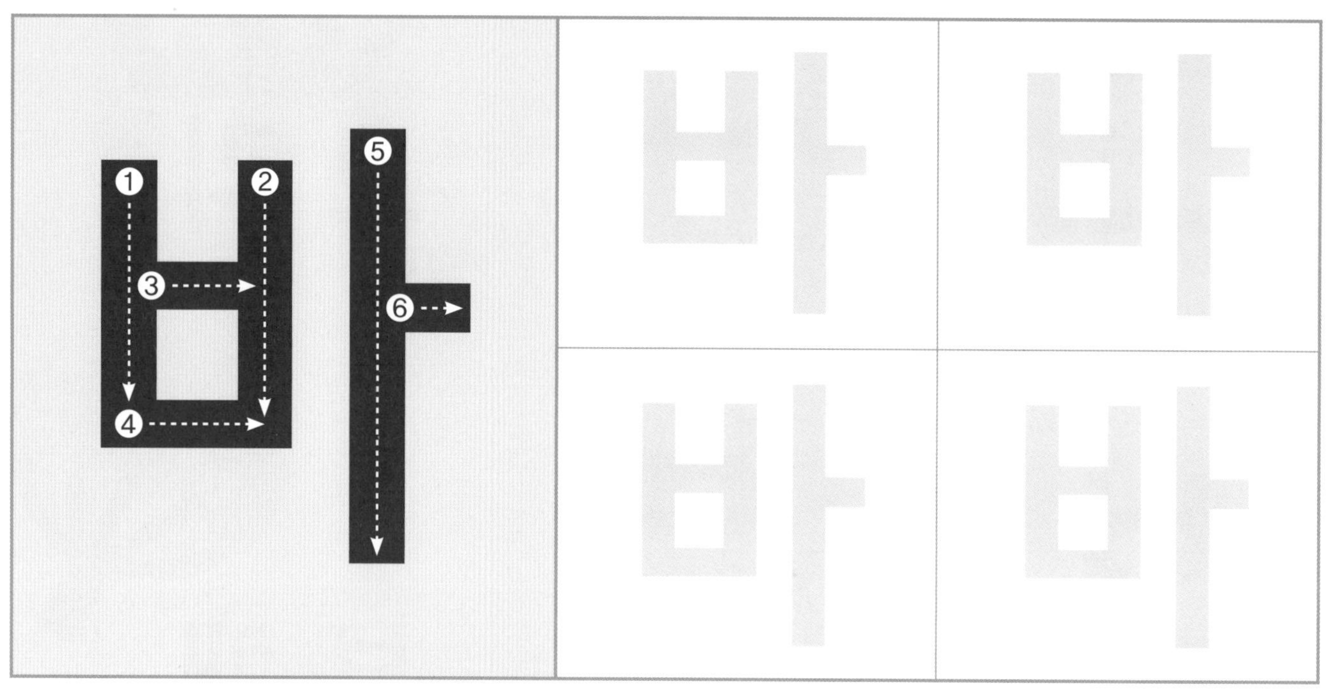

바 를 익혀요

TIP 이렇게 지도하세요! 붙임딱지에서 '바'를 찾아 알맞게 붙이고, '바'가 들어간 낱말에 해당하는 그림을 찾아 자유롭게 붙이도록 해 주세요. 이 활동에 추가로 부모님께서 '바람', '바다', '바지', '바위', '바늘' 등을 써 주시고, '바' 자를 찾게 해 주시면 자녀가 글자를 익히는 데 도움이 됩니다.

버 를 배워요

버 를 익혀요

TIP 이렇게 지도하세요! 자녀와 함께 그림을 살펴보며 낱말을 읽고, 자녀가 글자 '버'가 들어간 낱말 세 개를 찾아 ○표 하도록 도와주세요. '버'가 들어간 낱말을 찾고 익히는 활동을 통해 자녀가 자연스럽게 글자를 익히고 정확히 기억하게 됩니다.

보 를 배워요

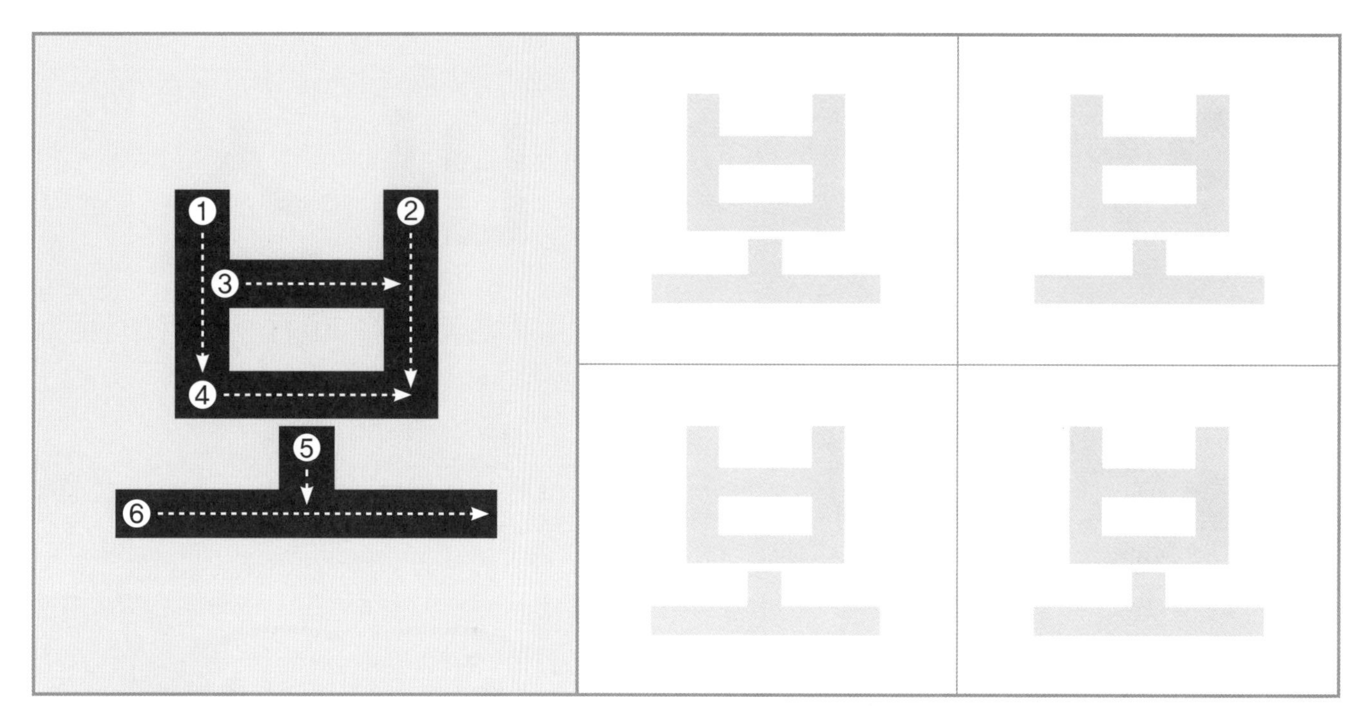

보 를 익혀요

TIP 이렇게 지도하세요! 자녀가 빈칸에 글자 '보'를 바르게 따라 써넣어 낱말을 완성할 수 있도록 도와주세요. 자녀와 함께 완성한 낱말을 반복하여 읽으며 '보자기', '보석', '보리', '보름달'이 모두 '보' 자로 시작하는 말이라는 것을 깨우쳐 주세요.

부 를 배워요

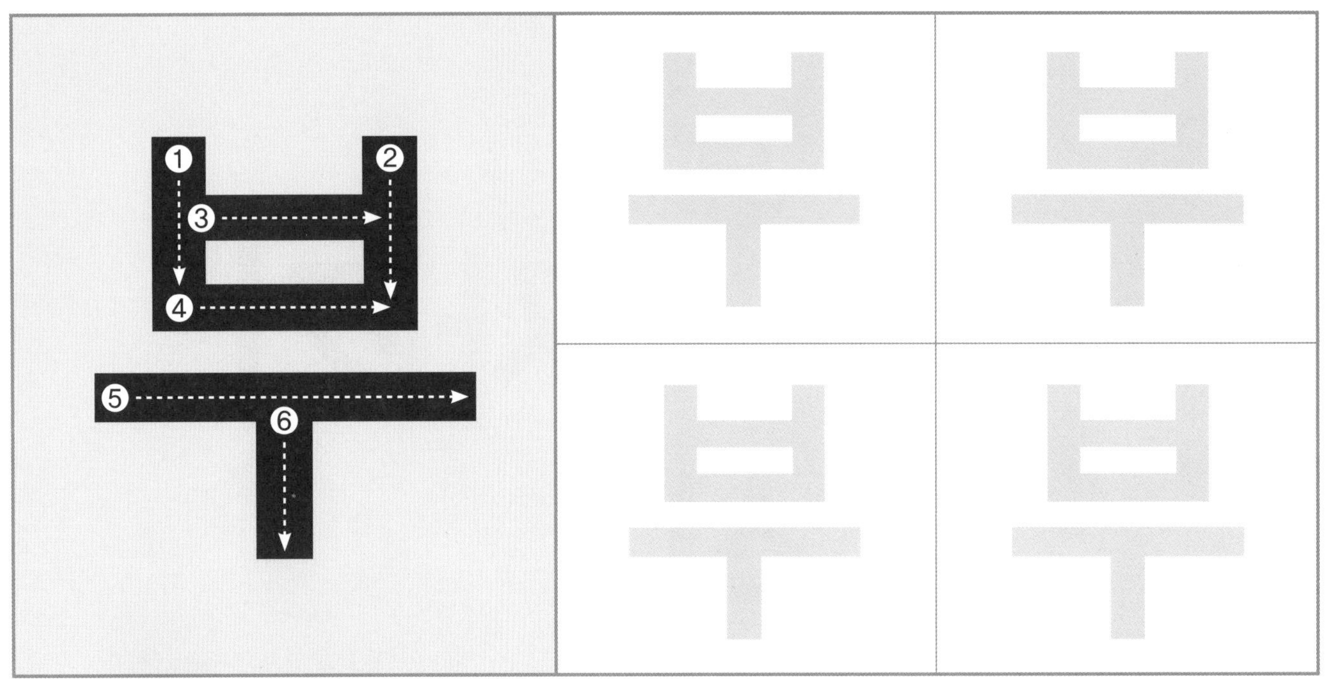

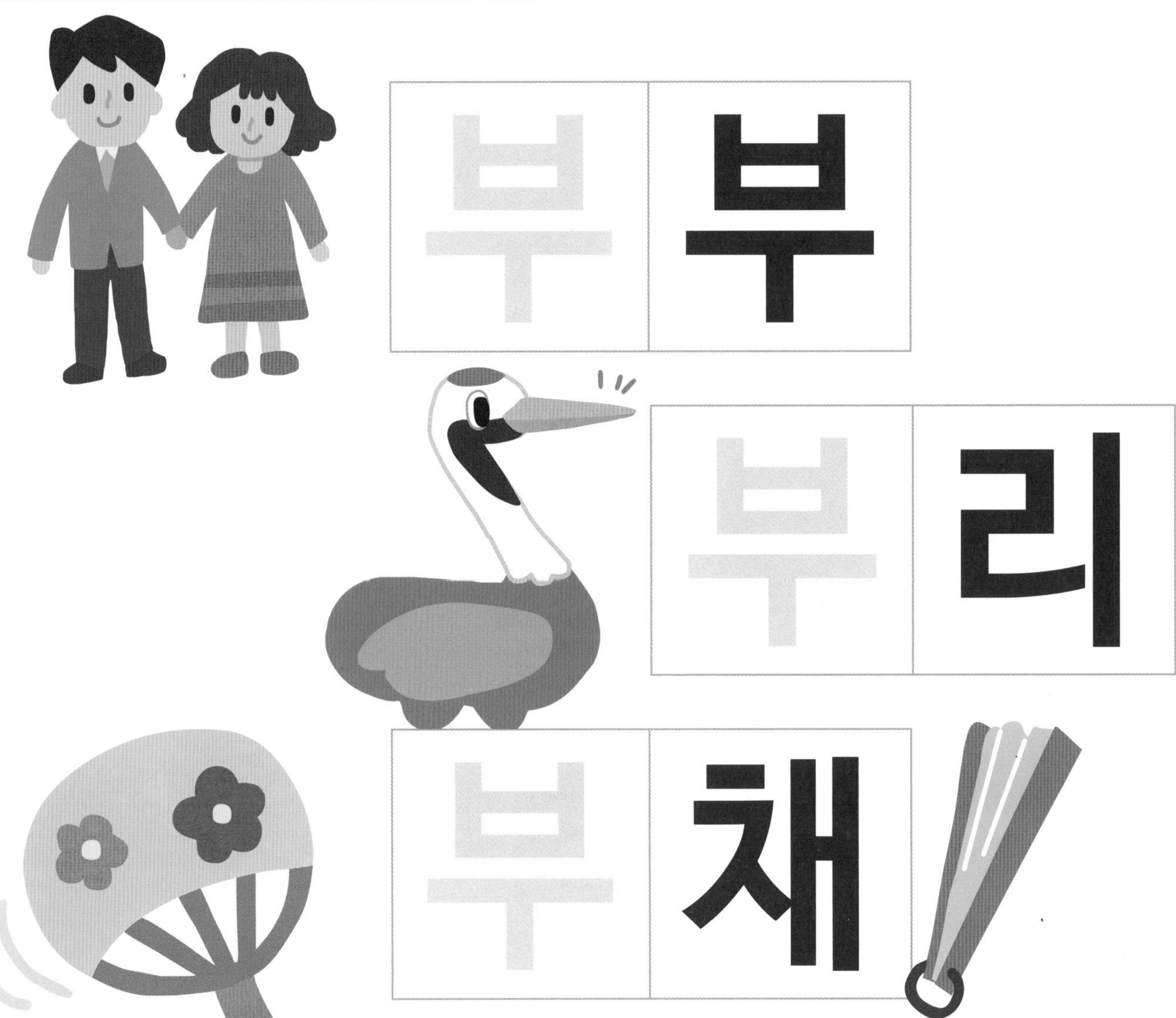

부 를 익혀요

이렇게 지도하세요! 자녀와 함께 낱말을 차례대로 읽고 글자 '부'가 들어간 낱말을 따라 선을 잇도록 지도해 주세요. 그런 다음 '부리', '부채', '부부'에 '부' 자가 있는 것과 달리 '보리'에는 '보' 자가 있다는 점을 다시 짚어 주세요.

비 를 배워요

비 를 익혀요

바

버둘기

비둘기

비행기

부행기

TIP 이렇게 지도하세요! 자녀가 두 개의 낱말을 읽어 보고 그림에 알맞은 낱말에 ○표 하도록 지도해 주세요. 글자를 구별하는 활동을 반복적으로 하다 보면 'ㅂ'이 모두 들어 있어도 모음자에 따라 글자가 달라지는 점을 자녀가 스스로 이해할 수 있게 됩니다.

글자를 찾아요

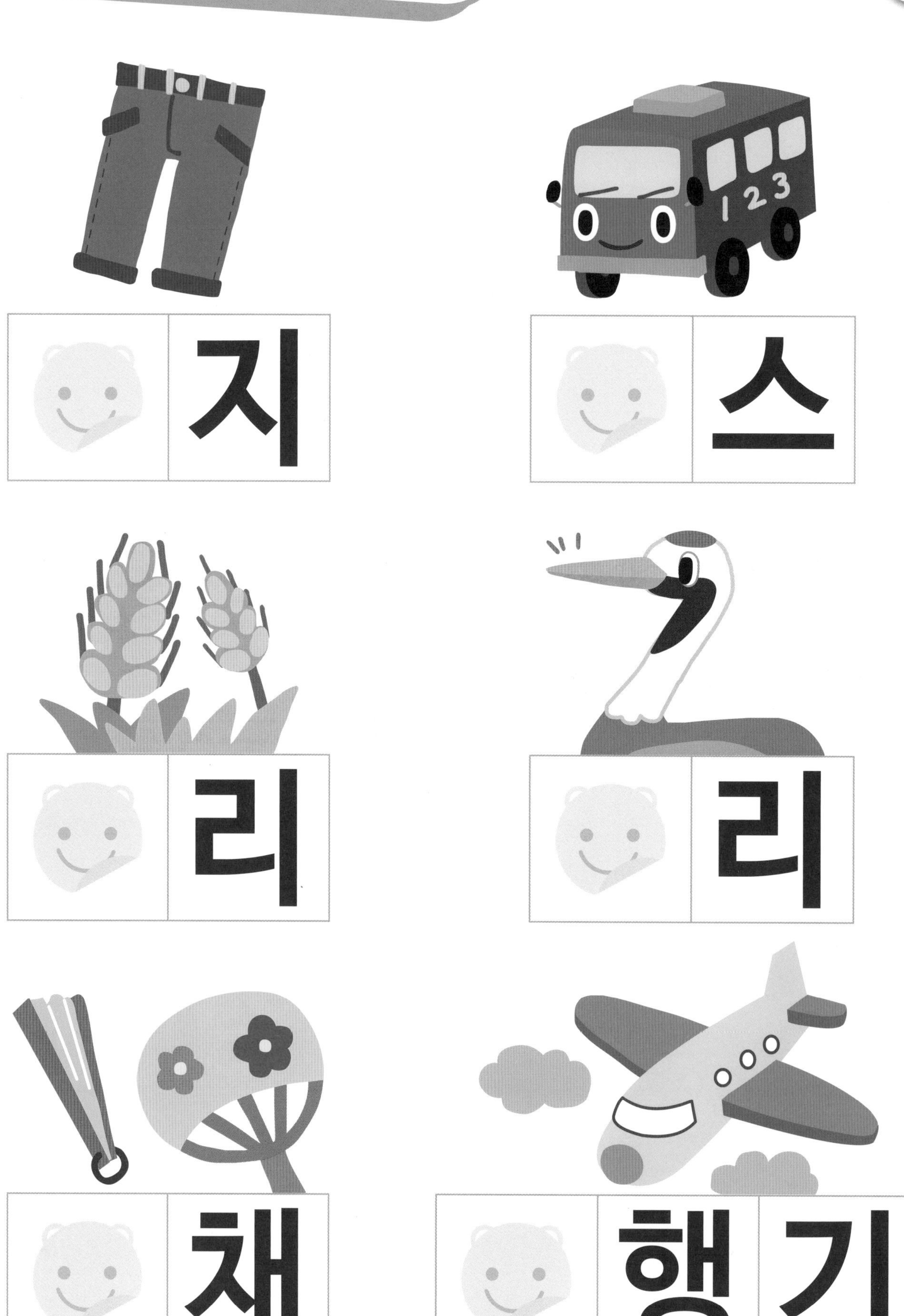

글자를 만들어요

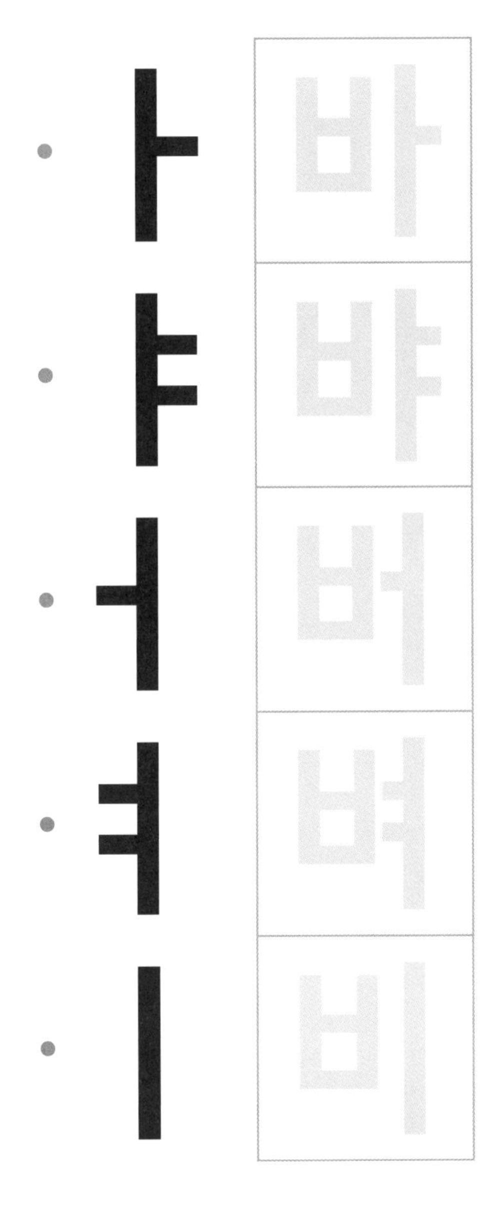

ㅗ	ㅛ	ㅜ	ㅠ	ㅡ
보	뵤	부	뷰	브

글자를 만나요

ㅅ + ㅏ → 사

이렇게 지도하세요! 자녀와 함께 챈트 영상을 보며 'ㅅ'이 각각의 모음자와 만나면 어떤 글자가 되는지, 그 글자는 어떤 소리가 나는지 알려 주세요. 챈트를 여러 번 반복하며 따라 부르다 보면 글자의 짜임을 더 잘 이해하고, 낱말 학습 효과도 높일 수 있습니다.

ㅅ
ㅗ
→ 소
소리

ㅅ
ㅜ
→ 수
수박

ㅅ
ㅡ
→ 스
스키

ㅅ ㅣ → 시
시소

사 를 배워요

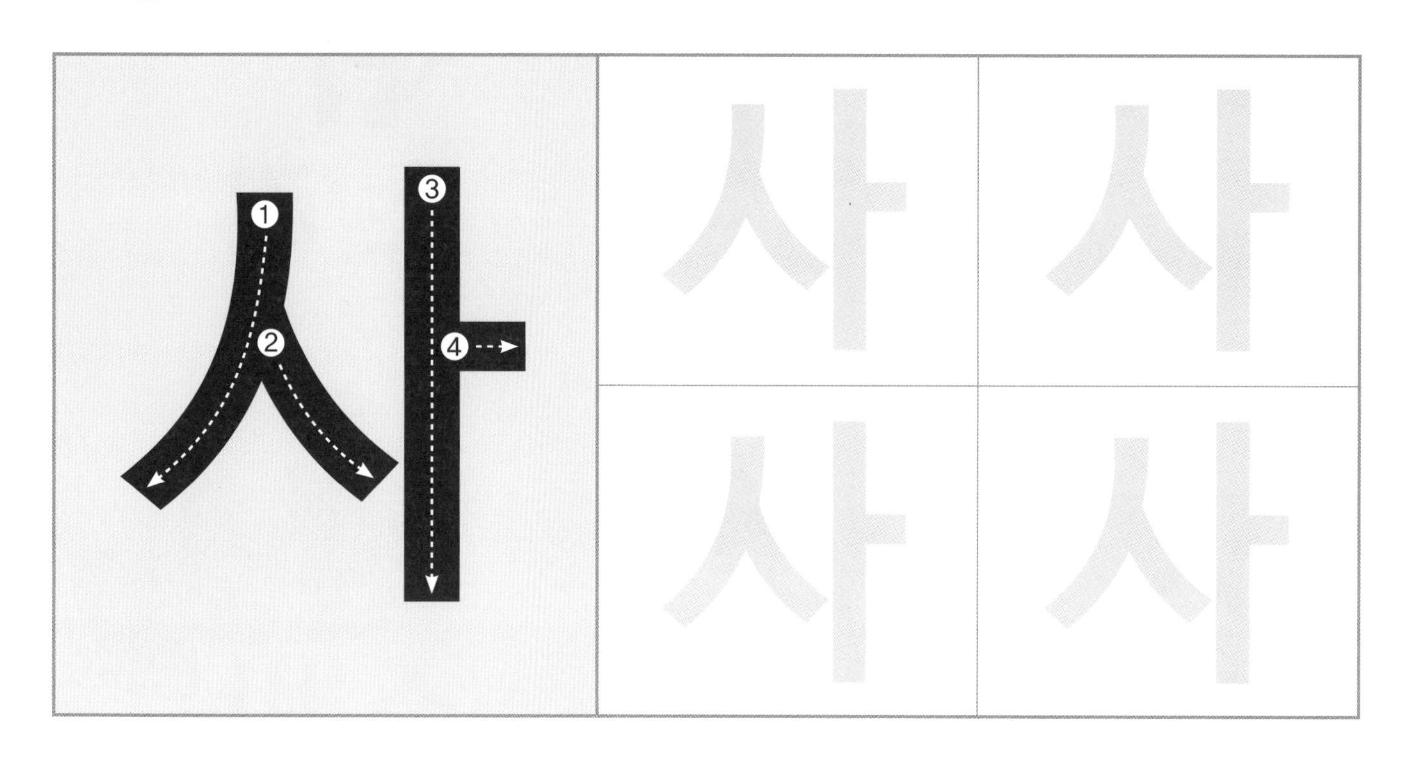

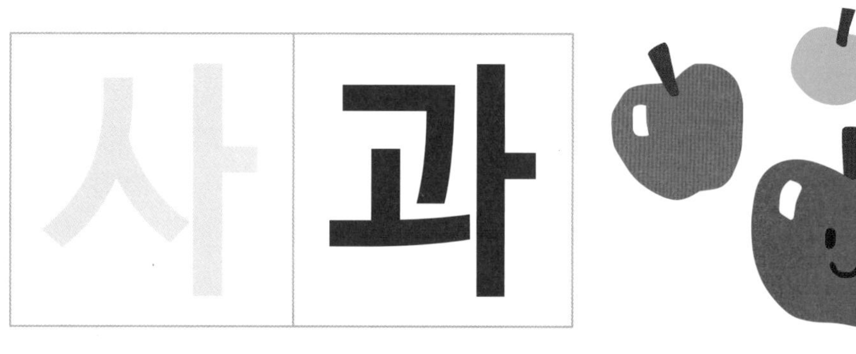

사 자

사를 익혀요

TIP 이렇게 지도하세요! 붙임딱지에서 글자 '사'를 찾아 붙여서 낱말을 완성하고, '사'가 들어간 낱말에 해당하는 그림을 찾아 자녀가 원하는 자리에 붙이도록 해 주세요. 자녀가 평소에 자주 사용하는 '사' 자가 들어간 낱말의 예(사람, 사탕, 사슴 등)를 더 들어서 '사'의 모양과 소리를 정확하게 알도록 지도해 주세요.

서 를 배워요

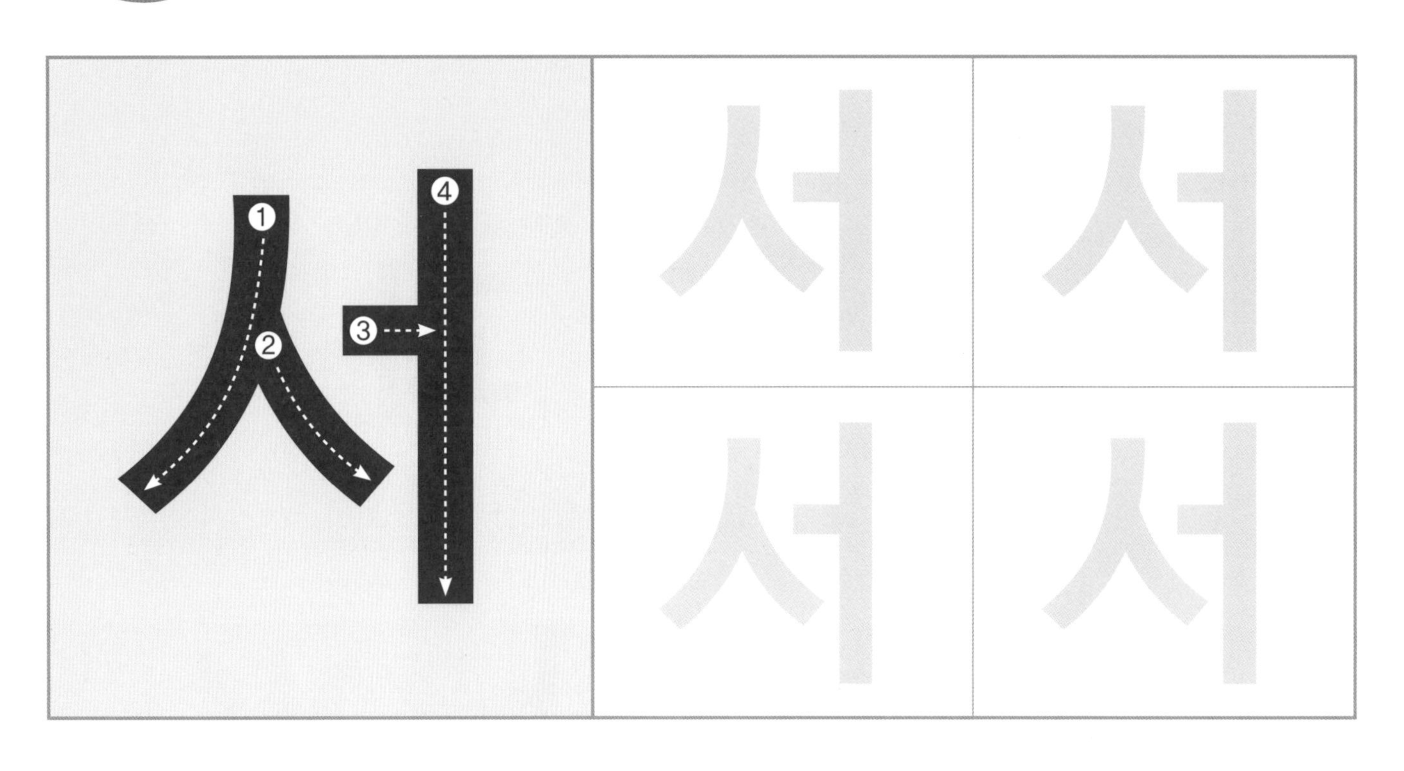

서 를 익혀요

TIP 이렇게 지도하세요! 자녀와 함께 그림을 살펴보며 낱말을 읽고, 자녀 스스로 '서'가 들어간 낱말을 찾을 수 있도록 도와주세요. '서'와 글자의 모양이 비슷한 '사'를 구별할 수 있는지 살펴보고, 아직 미흡하다면 자녀에게 낱말을 반복해서 들려 주고 자연스럽게 글자를 읽을 수 있도록 해 주세요.

소를 배워요

소 를 익혀요

이렇게 지도하세요! 자녀가 그림을 보며 빈칸에 '소' 자를 순서에 맞게 예쁘게 써넣어 낱말을 완성할 수 있도록 도와주세요. 아직 자녀가 소근육이 발달되지 않아 글자 쓰기를 힘들어할 수 있지만 순서를 지키며 글자를 많이 쓰면 쓸수록 글자 모양을 더 정확히 기억할 수 있게 됩니다.

수 를 배워요

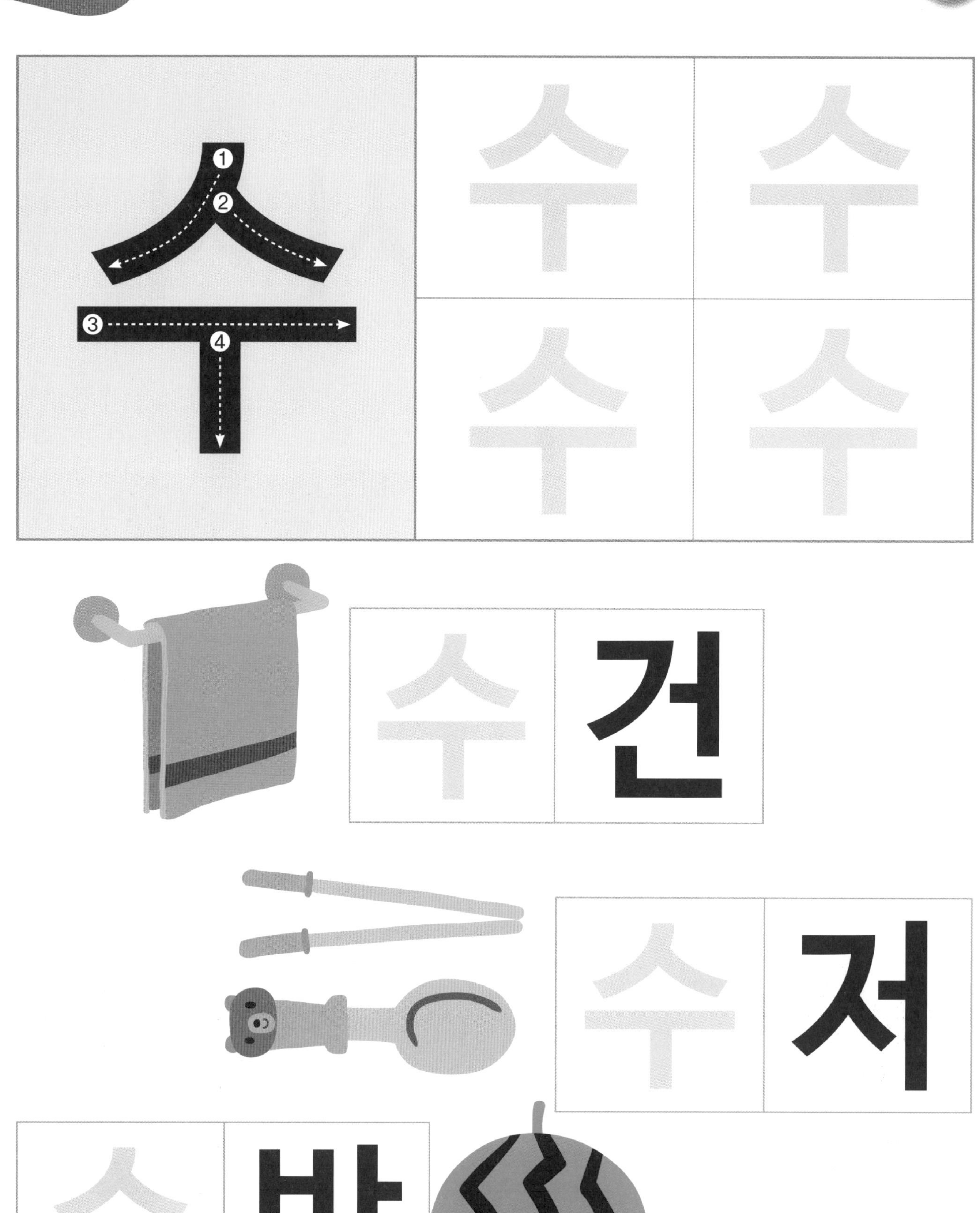

수 를 익혀요

TIP 이렇게 지도하세요! 먼저 자녀와 함께 네 개의 낱말을 읽고 자녀가 '수'가 들어간 낱말을 찾을 수 있는지 살펴봐 주세요. 낱말을 모두 찾으면 길을 찾아 선을 그으며 낱말을 다시 읽고, '수'의 소리와 모양을 잘 기억할 수 있도록 해 주세요.

시 를 배워요

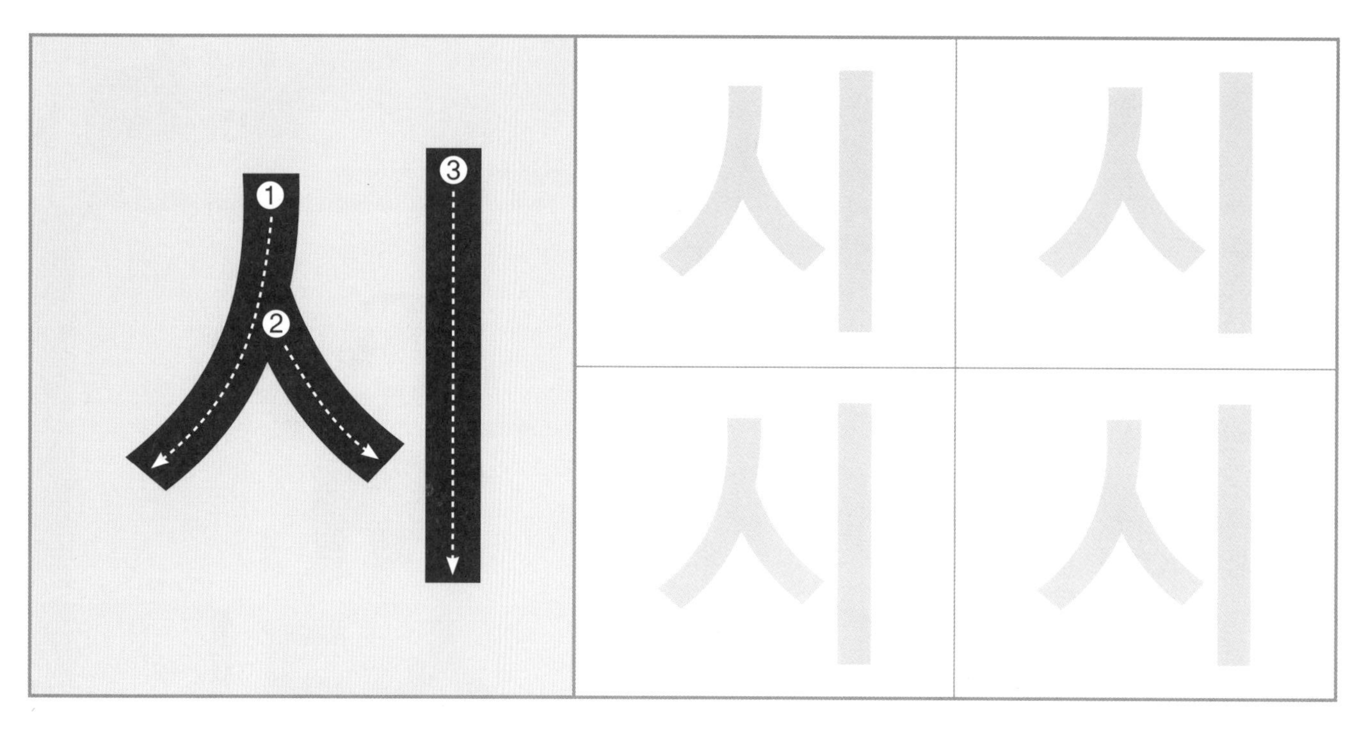

시	계

시	소

가	시

시 를 익혀요

시소

사소

서계

시계

가시

가스

이렇게 지도하세요! '시계'의 '계'에서 'ㅖ'는 복잡한 이중모음으로 처음 한글을 익히는 자녀가 기억하기에는 어려우므로 'ㅅ'과 기본 모음이 만나 만든 글자를 집중적으로 익히게 해 주세요. '시'가 알맞게 쓰인 낱말에 ○표 하며 '시'의 모양과 소리를 정확하게 기억할 수 있도록 지도해 주세요.

글자를 찾아요

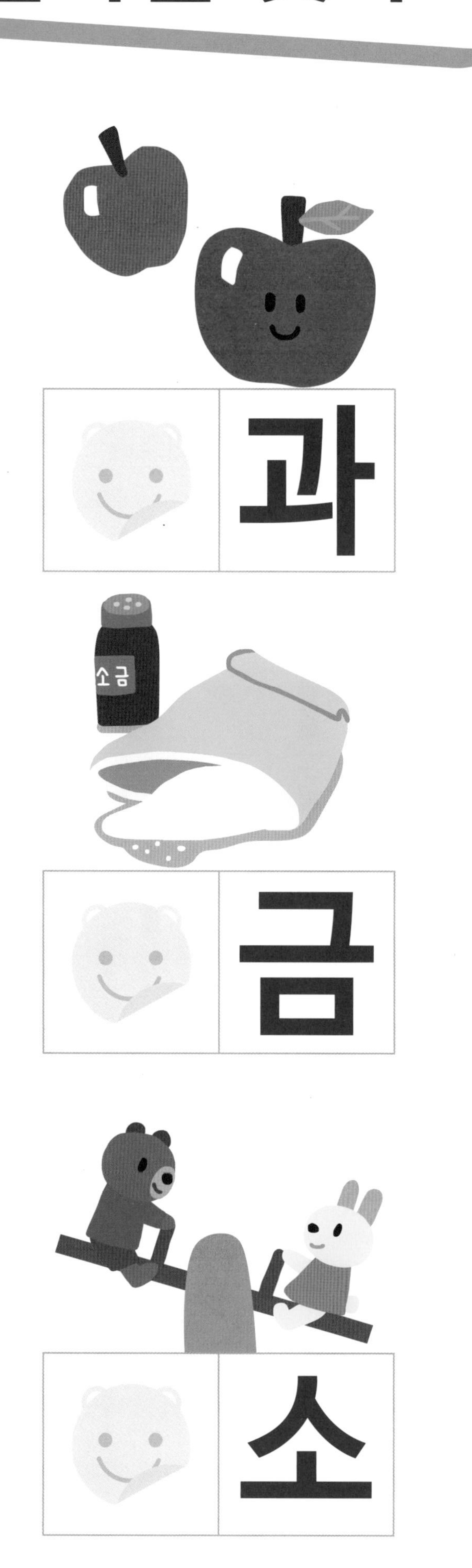

글자를 만들어요

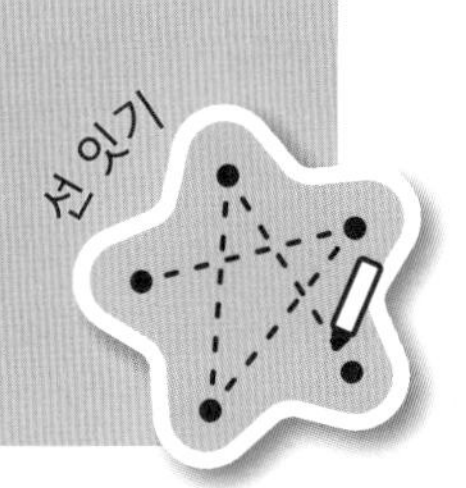

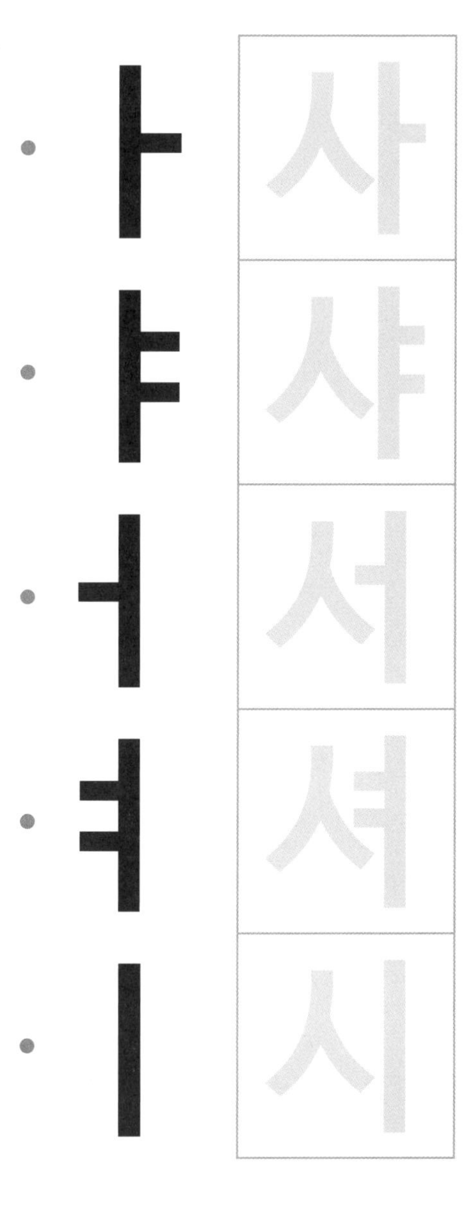

ㅗ ㅛ ㅜ ㅠ ㅡ

소	쇼	수	슈	스

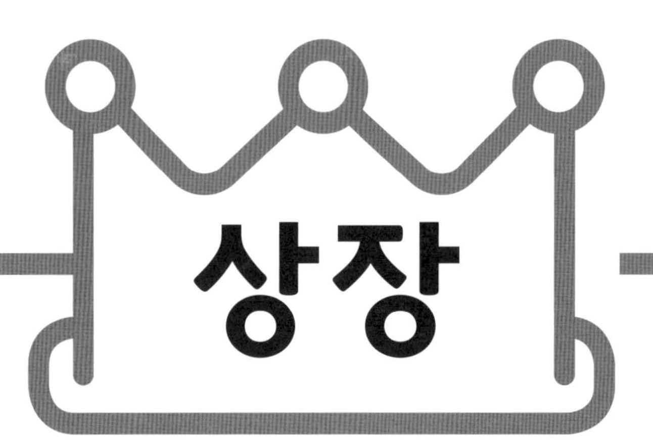

한글 쑥쑥 상

이름

위 어린이는 6세 초능력 첫걸음 한글

1단계를 훌륭하게 마쳤습니다.

이에 칭찬하여 이 상장을 드립니다.

년 월 일